Benjamin

e os artistas

Rotary

Distrito 4510

CIP-BRASIL. CATALOGAÇÃO NA PUBLICAÇÃO
SINDICATO NACIONAL DOS EDITORES DE LIVROS, RJ

M585b
3. ed.

Milani, Mário, 1949-
Benjamim e os artistas / Mário Milani ; ilustração Marcos Sena. - 3. ed. - São Paulo : Letras do Pensamento, 2020.
66 p. ; 23 cm.

ISBN 9788562131752

1. Poesia brasileira. I. Sena, Marcos. II. Título.

20-64274

CDD: 869.1
CDU: 82-1(81)

Meri Gleice Rodrigues de Souza - Bibliotecária CRB-7/6439

07/05/2020 11/05/2020

Mario Milani / Rotary 4510

BENJAMIM
E os artistas

3ª Edição 2020
São Paulo – SP

Letrasdo
Pensamento

Diagramação: Adailton Ragazoni

Capa Ilustração: Marcos Senna

Capa Design Grafico: Adailton Ragazoni

Planejamento Editorial: Milani GI Ltda.

Revisão: Cristina T. M. Saito e Airan Rodrigues

Coordenadores Editoriais: Mário Milani / Adailton Ragazoni

Diretor Editorial: Claudio P. Freire

3ª Edição — 2020 — São Paulo-SP

E de responsabilidade total dos textos, poesias, contos, crônicas, desenhos, dos escritores participantes desta coletânea. Não cabendo direitos autorais e remuneração de qualquer natureza. Todos participaram e concordarão como convidados.

Letrasdo Pensamento

LETRAS DO PENSAMENTO
Largo São Francisco, 181, 6º Andar - Salas 11/12 - Centro
CEP: 01005-010 - São Paulo - SP
Telefone/Fax: (11) 3107-6501 (11) 9-9352-5354
Site: www.letrasdopensamento.com.br
E-mail: vendas@letrasdopensamento.com.br

Impressão no Brasil

AGRADECIMENTOS

Aos Presidentes: Fabio Moura Rotary Clube de Marília — José Antonio Carmanhani Rotary Clube de Tradição — José Henrique Nino Rotary Clube de Marília Leste. — Marcos Antonio Carchedi e sua esposa Mara governador distrital 2019/20 — Governador Ricardo Bermejo incentivador nacional — Luiz Carlos Governador escritor participativo — Sandra Craveiro incentivadora distrital — Governador eleito gestão 2020/21 Dr. Nestor Amarilho Rotary Clube de Assis do Vale — Rotary Clube de Bastos — Rotary Clube de Rosa dos Ventos — Rotary Clube de Pompéia — Rotary Clube de Alto Cafezal exemplos de grandes consumidores e divulgadores das edições anteriores, e a todos os compradores em grupos e individuais do distrito 4510. Aos Jovens dos Rotaract Marília Pioneiro e Marília de Dirceu. Aos patrocinadores desta e edições e anteriores, aos escritores, poetas, desenhistas e artistas responsáveis por realizar mais esta obra de invento, artístico, histórico, Cultural (...)

Mário Milani
Imagem pública

NOTA DO ORGANIZADOR

O Rotary, como rege seus princípios, vem abrindo portas para artistas. Nesta edição dupla de mais uma publicação, os leitores poderão conhecer os trabalhos de rotarianos e de convidados do distrito 4510, o qual estende a proposta a outros distritos.

Para o Rotary, registrar obras de artistas plásticos reconhecidos internacionalmente, além de HQs, crônicas, poesias e contos, é motivo de comemoração. Isso porque, através da arte em geral e, essencialmente, da literatura, descobrimos verdadeiros tesouros.

Nesse sentido, também é importante citar alguns objetivos que norteiam a liderança do Rotary no mundo, como o acesso ao conhecimento, por exemplo. Em todas as publicações, participam governadores do distrito, ora no prefácio, ora nas orelhas, poesias, crônicas, contos autorais...

Tudo vem ao encontro do enriquecimento cultural, pois o Rotary Internacional busca a paz, um mundo melhor para todos no universo e acredita que a arte é um dos caminhos para que isso ocorra.

Outra meta de nossa fundação consiste em oportunizar, aos jovens do Rotaract, o aperfeiçoamento de suas habilidades. Exemplo de sucesso absoluto foi o concurso de poesias promovido pelo Rotaract de Marília Pioneiro, o qual lotou o teatro da cidade.

Fiquei muito feliz. Primeiro, por ser um caloso rotariano. Me emocionei ao ler a poesia classificada em primeiro lugar. Após os aplausos, num gesto de muita emoção, anunciei que todos os 15 classificados, selecionados em meio a mais de 200 inscrições, teriam suas obras publicadas no livro "O Caçador de Poetas" (gestão 2019/2020).

As emoções dos artistas e dos idealizadores são como a primavera, que prepara o fruto do amanhã! Esta narrativa pode tirar os leitores do conforto de seus lares e levá-los às poltronas, também confortáveis, dos teatros, a ocupar os espaços mágicos das bibliotecas públicas, das escolas e das universidades. Quem sabe, o leitor não acaba ingressando na maior fundação do mundo?

Mário Milani

Sumário

O Artista
Eu era pequeno e o meu pai já me dizia
Quando a esmola for demais,
filho, desconfia
Quer ser um campeão?
Corra para chegar à frente
Se não conseguir, filho,
tente novamente
A minha mãe sempre
falou que eu tinha que
estudar
Foi um sufoco danado,
mas passei no vestibular
Diploma na mão e alegria
de começar a trabalhar
Mas quando me formei,
meu presente foi
um violão
Comecei cantando, ali,
para os amigos do
quarteirão
Hoje canto para a
multidão
O meu pai deu e
ninguém tira, meu
diploma e meu violão.

Poesia:
Mario Milani
Desenho:
Marcos Senna

Eu era pequeno e o meu pai já me dizia

Poesia:
Mario Milani
Desenho:
Marcos Senna

Quando a esmola for demais, filho, desconfia

Poesia:
Mario Milani
Desenho:
Marcos Senna

Quer ser um campeão? Corra para chegar à frente

Poesia:
Mario Milani
Desenho:
Marcos Senna

Se não conseguir, filho, tente novamente

Poesia:
Mario Milani
Desenho:
Marcos Senna

A minha mãe sempre falou que eu tinha que estudar

Poesia:
Mario Milani
Desenho:
Marcos Senna

Foi um sufoco danado, mas passei no vestibular

Poesia:
Mario Milani
Desenho:
Marcos Senna

Diploma na mão e alegria de começar a trabalhar

Poesia:
Mario Milani
Desenho:
Marcos Senna

Mas quando me formei, meu presente foi um violão

Poesia:
Mario Milani
Desenho:
Marcos Senna

Comecei cantando, ali, para os amigos do quarteirão

Poesia:
Mario Milani
Desenho:
Marcos Senna

Hoje canto para a multidão

Poesia:
Mario Milani
Desenho:
Marcos Senna

O meu pai deu e ninguém tira, meu diploma e meu violão.

Poesia:
Mario Milani
Desenho:
Marcos Senna

Poeta: *André Francischetti Moreno*
Desenho: *João Pedro Donato Lima*

Poeta: *André Francischetti Moreno*
Desenho: *João Pedro Donato Lima*

Poeta: *André Francischetti Moreno*
Desenho: *João Pedro Donato Lima*

Poeta: *André Francischetti Moreno*
Desenho: *João Pedro Donato Lima*

Poeta: *André Francischetti Moreno*
Desenho: *João Pedro Donato Lima*

Sábia escolha

Pedra no caminho
Nem tudo são flores "né"?
Desvie e siga...

Poeta:
Eduardo Taqueo Inafuko
Desenho:
Marcos Senna

Escolhas

Tristeza é escolha
Alegria também é...
O que você quer?

Poeta:
Eduardo Taqueo Inafuko
Desenho:
Marcos Senna

Um antidepressivo

Palavras de amor
De carinho e compreensão...
Rajada de luz.

Poeta:
Eduardo Taqueo Inafuko
Desenho:
Marcos Senna

Um ante depressivo II

Coração ferido?
A cura está no perdão...
Remédio divino!

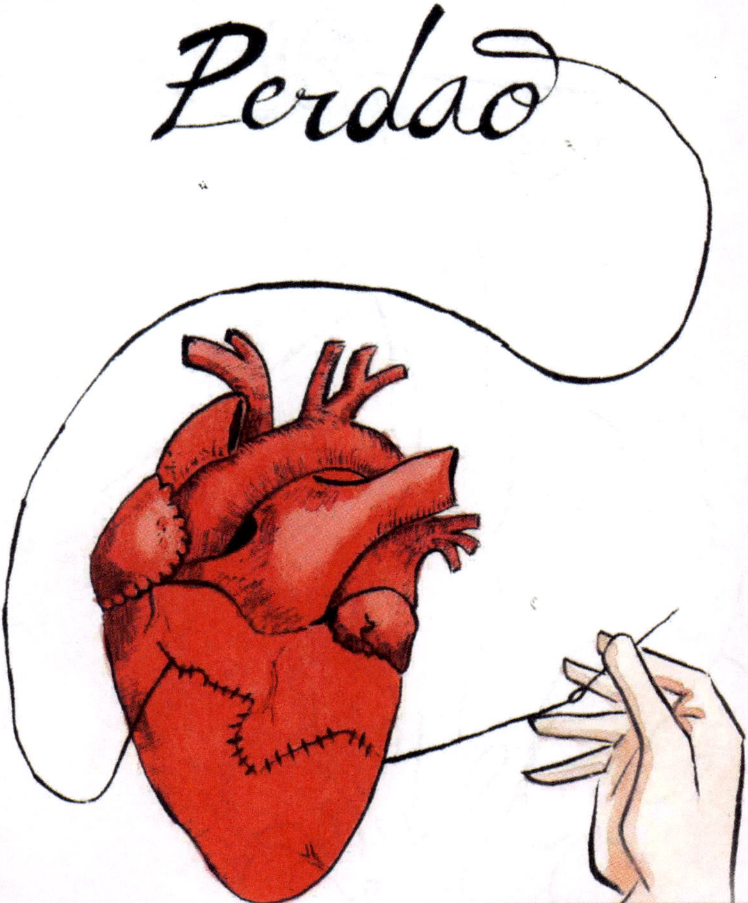

Poeta:
Eduardo Taqueo Inafuko
Desenho:
Marcos Senna

Crie na crise

Leite derramado
de nada vale chorar
Faz parte da vida...

Poeta:
Eduardo Taqueo Inafuko
Desenho:
Marcos Senna

Olhar poético dos artistas Retrata uma época marcada por sucesso e encanto da Banda Os Yarassus da cidade de Marília.

Águia, Falcão, Gavião? Não se sabe ao certo! O que se sabe é que, na década de 1970, surgia a banda Os Yarassus. O idealizador, Raimundo Julião, desejava alçar voos altos. Foi exatamente o que aconteceu! A banda, integrada por rapazes sonhadores, voou no espaço musical, atravessou os limites das cidades, as fronteiras estaduais e nacionais. A clássica formação está na ponta da língua, igual à escalação de elencos históricos do meu time de coração: Marcos Gimenes, Hélio Capeloza, Ulisses Moby, Bil Mauro, Nenê, José Claudio Bravos e Euclides Mattos.

Poeta:
Mario Milani
Desenho:
Laerte Rojo

As guitarras elétricas, sensações do momento áureo do grupo, brilhavam nas mãos dos músicos. O contrabaixo marcava não apenas as canções, mas também a presença de palco dos artistas. O som perfeito da bateria ditava o ritmo do repertório, que levava a juventude a sonhar e a viver a era do rock e das baladas românticas.

Poeta:
Mario Milani
Desenho:
Laerte Rojo

Haja saudade do glamour das dependências do Clube dos Bancários, do charme do Yara Clube e do luxo do Tênis Clube, palcos principais da banda.

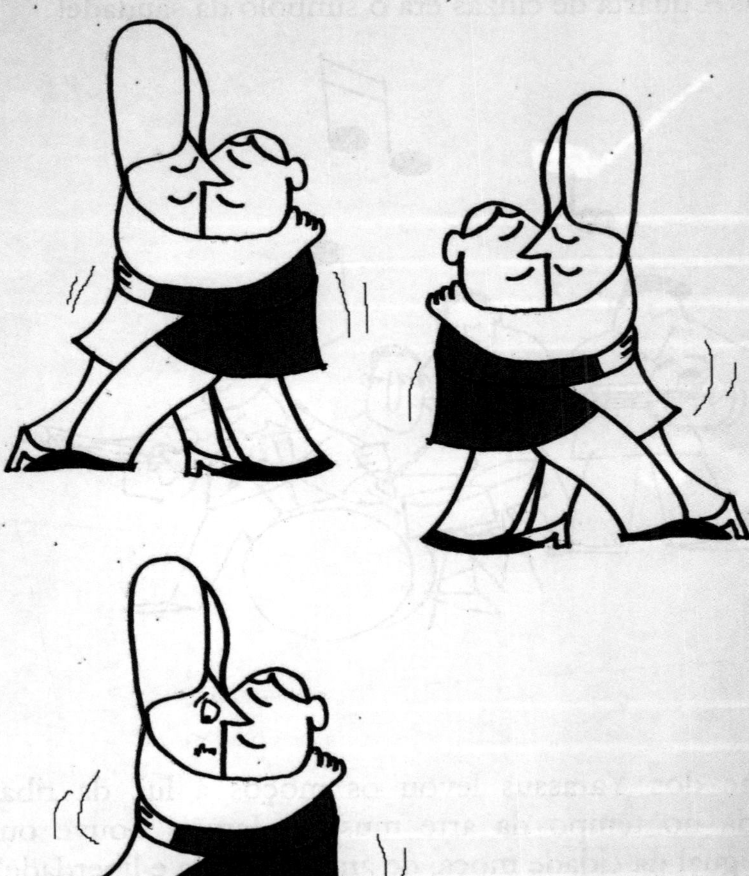

Poeta:
Mario Milani
Desenho:
Laerte Rojo

Os jovens músicos fizeram muito sucesso e possuíam agenda cheia para os bailes nas faculdades pelo Brasil afora. As turnês só tinham uma parada obrigatória: o carnaval mariliense. Quatro noites intensas de belas canções de alegria. A quarta de cinzas era o símbolo da saudade!

O lume dos Yarassus levou os moços à luz da ribalta, marcada no tempo da arte musical. Jamais houve outro grupo igual na cidade moça, de amor, cultura e liberdade!

Poeta:
Mario Milani
Desenho:
Laerte Rojo

Filhos da Modernidade – Amadeus da Costa

Passo...
Passo sem sentir o cheiro do vento
Casto e sem ver o a cor do momento
Passo sem me atentar ao tempo
Que, enciumado, passa por mim.

Simplesmente passo
Passo como passa a correnteza
Que não se atém ao leito
E que, fugaz, se vai e se vai...

Seria possível sentir o som da brisa
Que passa cumprimentando o gramado?
Ou o sol, tirano, colorindo e rindo
De tudo o que está abaixo de si?

Seria possível desacelerar
E voltar a girar junto com o mundo?
Perceber o sal na água do mar
Ou quiçá largar esta caneta
E voltar a respirar?

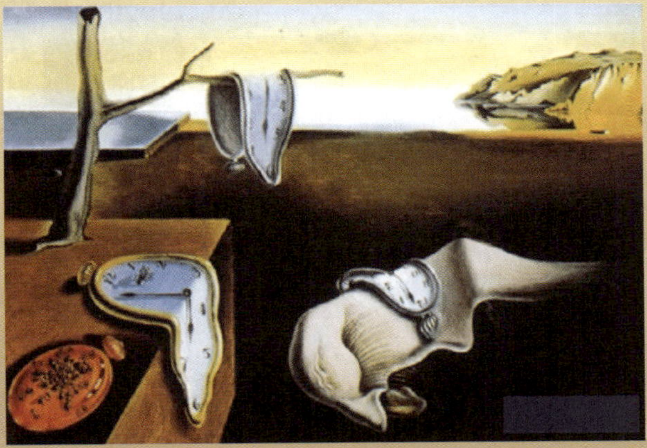

Arte Salvador Dali
A persistência
da memória

Anúncio – Eros de Barros

Procura-se
Alguém pra dividir o quarto
Pra dividir meu canto
Talvez não só o canto
Quem sabe a canção...

Procuro
Um afago, um cheiro, um carinho
Um caminho pra andar
Um perfume pra seguir
Um sorriso pra beijar.

Compra-se
Um cálice pra brindar
Uma nuca pra cheirar
Pra rachar uma coberta.

Não às hostis de alma
Nem às de indomável pretensão

Não procuro a bruta sedução
Que tampouco me
inquieta.

Procuro, incluso, um frio
Ou talvez um fósforo
Ou quem sabe um "pra quê"
Pra lareira acender.

Alguém pra quem sorria
Pra enrolar em rolos de poesia
Até a lua se apagaria
Pra não se intrometer.

Anote meu endereço
Caixa postal nas entrelinhas
Avenida dos Sonhadores

Não sem dores, mas a
sempre a sonhar.

Imagem extraída do Google

A Beleza que te Veste – Eros de Barros

Sabe que às vezes penso
Que a beleza tem vida própria
Anda, respira, sente e olha...
Carece! Carente de gente.

Sem testemunhas e olhando para os lados
Passeia na praça da vida
Enamora e, de repente, como pele
Veste, contorna e se enrola.

Às vezes penso que a beleza
Cheia de amor, num dia de bom humor
Te achou, te fitou, te cutucou
E encantada, te virou e te falou:
És tu quem eu quero vestir!

Imagem extraída do filme "Flashdance", Adryan Lyne.

O Amor de Teto Azul – Eros de Barros

Me conforta saber que
Mesmo separados pela geografia
Este céu daqui, azul, largo,
Extenso e infindo
Toca teus olhos aí.

Imagem extraída do vídeo "A verdade por trás do céu azul"

Artesão das Palavras – Eros de Barros

Pois é...
Escrever é um transbordar de palavras
Que se vão amontoando dentro da pele, do lado de cá
D'onde versos brotam de vazios dissaborosos
Que jazem na condição de ser poeta.

Escrever é trazer-te, é encontrar-te
É transformar-te em arte
Pois a tua parte não há.

É tocar teus lábios,
Mesmo que as com palavras
Que teimam no lugar da tua boca estar.

Escrever é ter as palavras como ferramentas
Instrumentos pra trazer teu cheiro, tocar teu corpo
E fecundá-lo com versos e calúnias de amor.

Escrever é tocar-te com as mãos que me restam.

Margarita Fedorenko
"Ilustração do vetor do esboço do beijo"

Silêncio no Cais – Amadeus da Costa

...E no lençol das águas
No sul do oceano
Repousam os barcos
Fartos ao anoitecer.

E então, sob a tutela da lua,
No aconchego e silêncio da noite
Relaxam no calar dos portos
Abandonados pelo sol.

Aos pares e cansados
Descansam nos braços do areal
No quarto escuro da noite,
Cercados pela orla vazia.

Deitados e à luz do luar
Com suas velhas velas recolhidas
Chacoalham no arquear das ondas
Flertando com a beira do cais.

E o cais, recatado,
Se mantém parado, encabulado
Enquanto os barcos, ousados,
Roubam-lhe beijos aos montes
Até o sol os separar.

"Barcos"
Armando Romanelli

Poeta Amputado – Eros de Barros

Ah, se eu pudesse...
Se eu pudesse cortar-te...
Se eu pudesse cortar-te como que com faca!
Do cume de minhas memórias.

Ah, se eu ficasse...
Se eu ficassem sem a tua parte
Se eu pudesse tirar-te de minh'arte...

Todas as curvas do mundo retificariam
Todas as montanhas se inverteriam
Até que os ventos, todos, se sentassem
E, em assembleia, discutissem!

Créditos:
Eric Johansson

Cheiro de Madeira – Amadeus da Costa

Sinto falta da vida com cheiro de madeira
Dos restos de vento, das folhas ressecadas...
De pisar no chão de terra batida, molhada...
Do sarcófago das lembranças
Da certeza de Alma!

Feijões de concha, vassouras de palha
Doces sortidos no armazém do amanhã.
Goiabas no quintal e milhos de granja.

Garrafas de plástico
Que descansavam nas prateleiras do ontem.
Do cheiro do armário de naftalina...
Do gigantismo do guarda-roupas!

Sinto falta do calabouço da razão
E do excesso de tempo:
De magos algozes, alegres e livres
Sentinelas da emoção!

Do maracujá batido
Do pote de nozes!
Sinto falta do gosto sem mágoas.
Da centelha de vida!
Da vida sem razão.

Quero viver num mar de algas
De águas claras e cristalinas
Sem olhos de moderno
Ou cheiro de óleo

Cade você, teto da vida?
Espantalho de abacaxis e de pepinos voadores...
De toxinas de trabalho?
Onde está você, meu vazio?
Das sonatas de lua, do convite à analgesia?
Que, com vida, anseia na ausência de um corpo?

Onde está você, solidão?
De igreja na alma,
Da liberdade obscura?
Do gosto de álcool,
Da certeza de vida?

Onde está o meu Amor?
Que jaz em terras passadas
E que não mais cabe no peito?
Onde está meu Zelo,
Que, distante, me grita de longe?

Escultura de
Bruno Catalano,
Marseille, França

Trajeto em Espiral

Nós temos duas opções em qualquer tipo de relacionamento que travamos. Temos a possibilidade de caminhar sozinhos andando em círculo, em um determinado trajeto, ou então contar com a participação do Outro. Caminhando sozinhos nós podemos nos assegurar de que estamos tranquilamente em território conhecido, porém pouco enriquecedor já que não oferece nada de novo. Porém, podemos também caminhar pela vida coletivamente, crescendo e fazendo desse círculo não mais um círculo, mas um trajeto em espiral. Onde ao mesmo tempo em que escrevemos o próprio rumo, alavancamo-nos a níveis outros e por isso tão enriquece-dores. Passamos a nos desenvolver quando nos estendemos ao Outro, encompridando nossos braços e alargando a esfera responsável pelo nosso alcance (pela nossa vida!). Só assim podemos nos des-envolver inteiramente. E nos desenvolvendo, podemos desenvolver também os nossos maiores parceiros para a vida: os Outros que escolhemos.

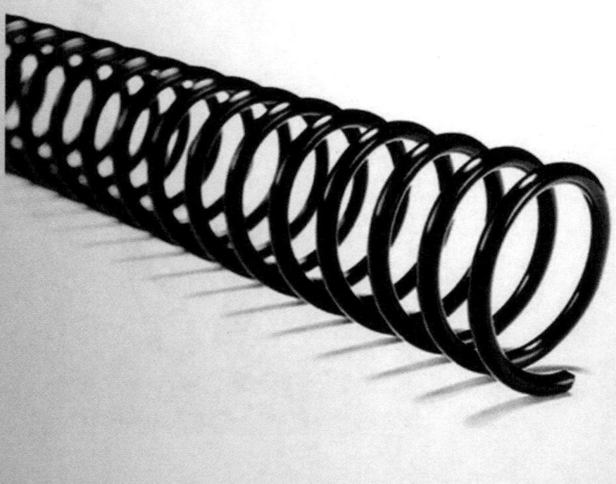

Imagem extraída do site "Clicksuprimentos.com.br",

HOMENS DA ARTE

Newman Schutze arte que atravessa oceanos
João Mesquita Valença na biblioteca
José Alvarenga cidade de Osvaldo Cruz
Braz Alécio pintou sombra e muita luz...

A boemia, amizade e a arte de uma época
Cavaletes azuis, pincel suor marcas no pano
Valeu a pena ficar perto da tríade da arte
Lembranças, saudades e agora esse encarte

Casa de madeira escola do pintor
Dona Olinda: Esposa, modelo, paixão
Braz Alécio abre portas ensina a arte com amor
Sua alma difundida nas suas obras com louvor

Em cada obra de Braz Alécio a uma fonte de vida
Nas poesias de João Mesquita Valença mensagens de amor
As escritas de José Alvarenga sempre revestidas de beleza
Newman Schutze a nostalgia dos amigos nos tempos modernos...

Poesia:
Mário Milani
12/11/2019.
Arte:
Newman Schutze

Newman Schutze – João Mesquita Valença – José Alvarenga
Braz Alécio - Mário Milani

Newman Schutze arte que atravessa oceanos
João Mesquita Valença na biblioteca
José Alvarenga cidade de Osvaldo Cruz
Braz Alécio pintou sombra e muita luz...

Verso:
Mário Milani
Arte:
Newman Schutze

A boemia, amizade e a arte de uma época
Cavaletes azuis, pincel suor marcas no pano
Valeu a pena ficar perto da tríade da arte
Lembranças, saudades e agora esse encarte

Verso:
Mário Milani
Arte:
Newman Schutze

Casa de madeira escola do pintor
Dona Olinda: Esposa, modelo, paixão
Braz Alécio abre portas ensina a arte com amor
Sua alma difundida nas suas obras com louvor

Verso:
Mário Milani
Arte:
Newman Schutze

Em cada obra de Braz Alécio a uma fonte de vida
Nas poesias de João Mesquita Valença mensagens de amor
As escritas de José Alvarenga sempre revestidas de beleza
Newman Schutze a nostalgia dos amigos nos tempos modernos...

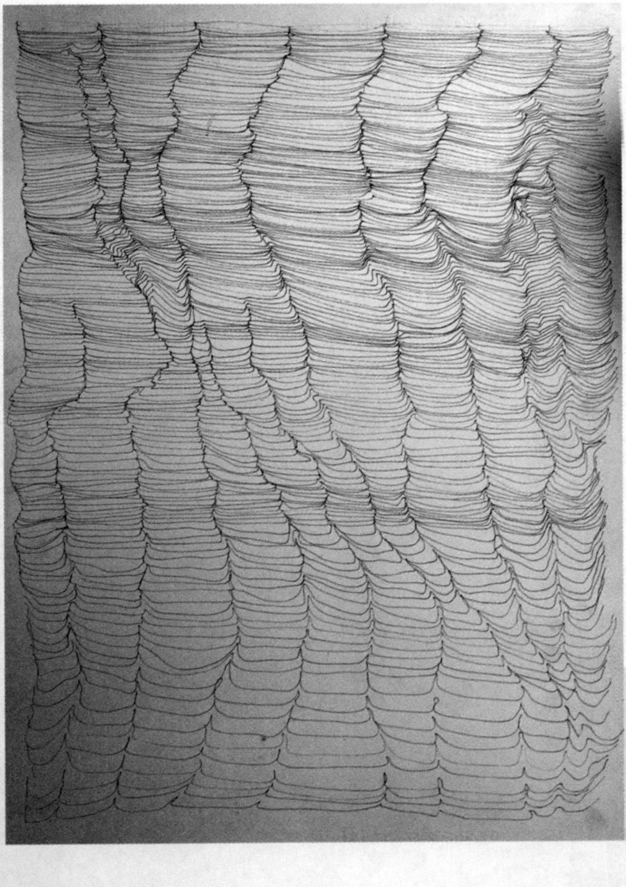

Verso:
Mário Milani
Arte:
Newman Schutze

Esperança:

Primavera em flor
Enche o mundo de amor
Sem medo e sem dor

Poema:
Eduardo Inafuco
Arte:
Andressa Diniz

Música e alegria

Canto em qualquer canto
A serviço do amor
Isso alegra o Mundo

Poema:
Eduardo Inafuco
Arte:
Andressa Diniz

Sábia escolha

Pedra no caminho
Algo que produza paz
Quero te pedir

Poema:
Eduardo Inafuco
Arte:
Andressa Diniz

Meu gato

Raj, abreviação de Rajado
Um personagem da Disney por mim inventado.
Há nove anos, no trabalho ele apareceu
E tão pequenino, foi quem me escolheu.
Ama como e quando lhe convém
Entretanto, amor e gratidão ele tem.
Quando mais magro, a um guepardo se assemelha
Já quando mais gordo, a um tigre de bengala se espelha.
A cadeia alimentar com ele eu entendi
E respeitar a necessidade alheia foi o que aprendi.
Encomendado por Deus perfeitamente pra mim, afinal
De tanta semelhança me mostrou que amamos de maneira igual.

Poema:
Samara O. Milani
Arte:
Carol Matos

Aqui e Agora
Perceba os sinais com atenção
E analise o acontecido
Ouça, veja e sinta com gratidão
E tudo estará esclarecido
Foi assim que eu percebi
O que se faz aqui se paga aqui
E então eu compreendi
Que o importante é o presente que temos aqui
O amor em nós habita
E Jesus Cristo nos mostra a missão
De mais nada necessita
A não ser ter a fé como visão
A presença de Deus ao amanhecer
Pôr do sol e anoitecer
Nos faz em tudo crer
Para no aqui e agora viver

Poema:
Samara O. Milani
Arte:
Carol Matos

PAPAI

No meu primeiro diário você me escreveu
Que da natureza me ensinaria a gostar.
Nos meus primeiros sonhos você compreendeu
Que somente ao meu tempo eu iria desabrochar.
Ensinou-me também a querer
Muitos sonhos sonhar.
Para, não apenas, não envelhecer
Mas também muito criar.
Muito semelhante a ti eu sou,
Não somente os pequenos olhos castanhos.
Muito mais parecida pelo que estou,
Digo o quanto não somos em nada estranhos.
Suas lágrimas eu vi derramar
Para minha vida salvar.
Pra sempre vou lhe agradecer
Pela minha vida ajudar a florescer.

Poema:
Samara O. Milani
Foto:
Pai e filha em feira de artes: A magia "TSURUS"

Nina minha Poodle

Você em minha vida foi um acontecimento
São dezessete anos de muitos bons momentos
Com você diversas vezes eu chorei
Desabafando tantos caminhos que trilhei
Em um período eu te deixei
Para viver o que me dediquei
Hoje tive outra oportunidade,
Graças a Deus, curtindo muito tanta novidade.
Os verbos cuidar e respeitar
com muito amor você me ensinou a cultivar.
Com todo o meu amor e gratidão quero lhe homenagear
Afinal em meu coração pra sempre você vai estar.

Poema:
Samara O. Milani
Foto:
Samara O. Milani

Segredos do TSURU

Sadako Sasaki nos deixou
uma mensagem de paz.
A esperança que cultivou
mostrou do que ela era capaz.
O Tsuru ao mundo demonstrou
toda a boa sorte que ele nos traz.
Como ave sagrada do Japão simbolizou
além da sorte, saúde, longevidade, fortuna e muita paz.
Toda boa lenda que valha a pena compartilhar
traz mensagens inspiradoras.
Para assim então em nós despertar
tão somente lições motivadoras.
Presenteada com uma bela lembrança
no ano de dois mil e nove.
Nasceu em mim a esperança
para viver a arte que em mim se desenvolve.
A lenda dos mil tsurus nos ajuda a perseverar.
Para que, ao papel dobrar, nosso desejo possa se realizar.
Viver a arte é o que nos move
Com a energia do Tsuru da Sam desejo que sua vida se renove.

Arte:
Samara O. Milani

A lua já foi terra – D A E

E   A   E   D
Essa noite tive um sonho / E na lua fui morar
E   A   E   D
O quintal cheio de estrelas / E o sol sempre a brilhar
D   A   D   A
São Jorge mostrou-me a lua / E um segredo ele me contou
**   E   D   A   E D**
E agora pra vocês, ele pediu, vou revelar
**   A   D**
Onde tinha árvore / O Homem cortou
**   A   D**
Onde tinha rio / O Homem secou
**   E   A**
E ele também me disse / Lá no disco voador
**   D   E   A**
Que a lua já foi terra / Que a terra já foi lua   2X
A   D   A
São Jorge me revelou / Lá no disco voador
**   D   A**
Que a lua já foi terra / Que a terra já foi lua 2X
**   A**
São Jorge revelou / Lá no seu disco voador.

Cantor:
Rodrigo Murbach
Compositor:
Mário Milani
Arranjos:
Laerte Marques

Vida Peão

Esta vida de peão me leva e traz
Ganhei muito dinheiro / muito amor e muita paz
Esta vida de peão me leva e traz
Ganhei muito dinheiro / muito amor e muita paz

Ganhei uma Land Rover em Goiás
Uma Harley Davvidson em Minas Gerais
Esta vida de peão me leva e traz
Ganhei um New Beetle fuscão preto e muito mais

Derrubei o boi bravo campeão
Ganhei um B m w e troféu de campeão
Loira e morena calça justa mulherão
Não viajo mais de carro só de avião

Esta vida de peão me leva e traz
Ganhei dinheiro / muito amor e muita paz
Esta vida de peão me leva e traz
Ganhei dinheiro / muito amor e muita paz
Esta vida de rodeio, laço bom, eu to no meio

Tião Carreiro é o mestre da viola caipira, ele é meu ídolo e também meu padrinho. Consegui entrar no mundo sertanejo graças a sua força - Almir Sater.

Arte:
Adailton Ragazoni
Desenho:
Marcos Senna

Crônica da praça central

Um dia desses, estava ao lado da seringueira da Praça Saturnino de Brito onde a Rua Bahia começa; ali é um zigue-zague na Sampaio Vidal que funciona perfeitamente, que não deixa de ser Avenida em homenagem a Bento de Abreu!

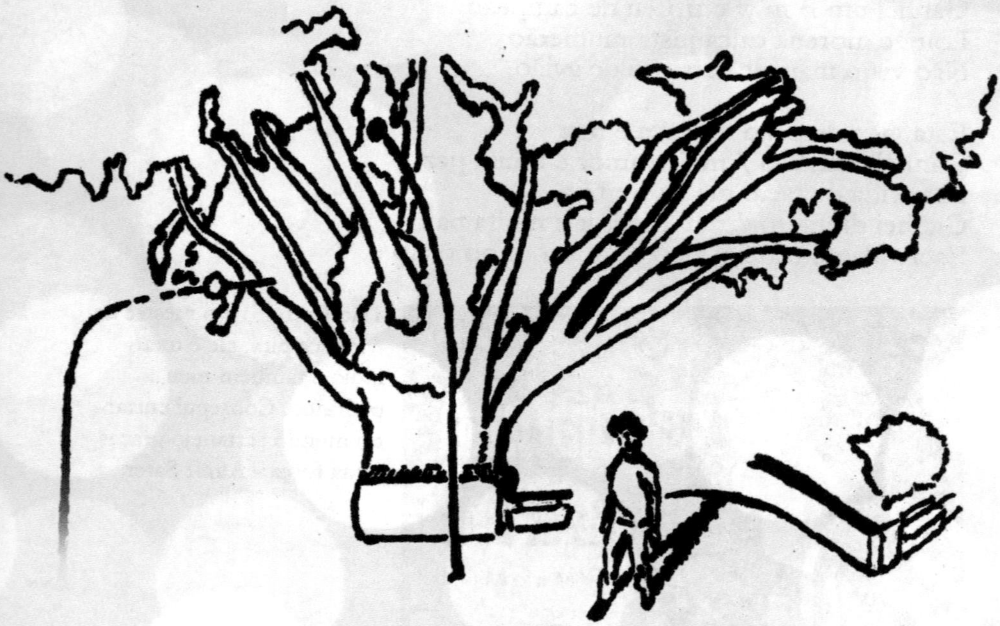

Autor:
Mario Milani
Desenho:
Guilherme Massau

O majestoso prédio da Prefeitura é coligado com a Câmara Municipal, o jardim com flores, árvores, bustos tudo bonito de se ver... Resolvi mudar de rumo e fui atravessar no cruzamento da Rio Branco com a Sampaio Vidal.

Autor:
Mario Milani
Desenho:
Guilherme Massau

A porta do Museu de Paleontologia estava aberta, decidi ir até lá, encontrei um grupo de alunos conversando com os visitantes americanos, argentinos e uruguaios e o grande Nava. Estavam discutindo sobre a descoberta do Dino Titã de Marília, os fosseis são das rochas sedimentadas formadas durante o período Cretáceo.

Autor:
Mario Milani
Desenho:
Guilherme Massau

Não demorei; o paleontólogo me levou até a porta e me disse: "Olha como é bonito esse lugar... Respondi a meu amigo William:" Está vendo aquela frase? Que tal sugerir para o Prefeito e os Vereadores acrescentar: Marília, símbolo de amor, cultura e liberdade..."? Nava me respondeu: "Você está querendo me presentear!" Meu amigo William Nava, você está fazendo o nome da nossa cidade atravessar oceanos!

Autor:
Mario Milani
Desenho:
Guilherme Massau

BENJAMIM CAÇADOR DE POETAS

Agora você caro leitor saindo do mundo encantado da arte, músicas e desenhos vão embarcar em uma viagem através das crônicas, poesias e contos. As pesquisas das editoras apesar das turbulências, econômicas, os brasileiros estão lendo e escrevendo mais. Conseguimos através da eficácia da ferramenta Rotary no distrito 4510 a façanha de reunir 47 participantes nesta obra!

1º Edição: 1000 - exemplares lançado na Conferência 2014, Águas de São Pedro.

2º Edição: 3000 - exemplares lançado na Conferência 2018, Porto Belo.

3º e 4º edições lançamento 2020.

Realização: Alcançamos 02 Paul Harris – 2014/18 para o distrito 4510.

Boa leitura,

Mário Milani
Imagem pública.

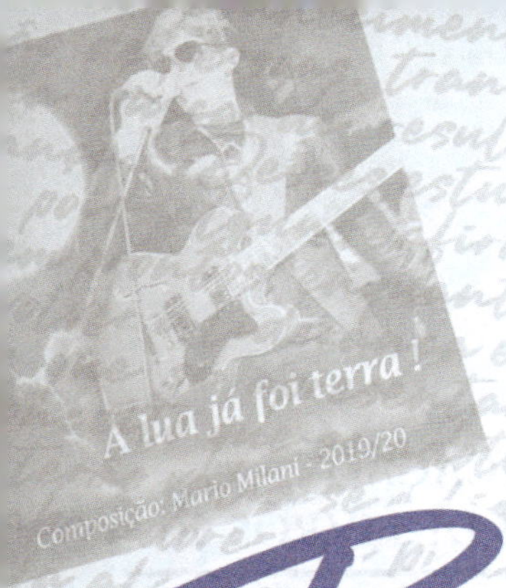

Benjamim

CAÇADOR de POETAS

Crônicas
Contos
Poesias

4ª EDIÇÃO

O ROTARY
CONECTA
O MUNDO
4510

CIP-BRASIL. CATALOGAÇÃO NA PUBLICAÇÃO
SINDICATO NACIONAL DOS EDITORES DE LIVROS, RJ

M585b
4. ed.

Milani, Mário, 1949

Benjamim : caçador de poetas : crônicas, contos e poesias / Mário Milani.

- 4. ed. - São Paulo : Letras do Pensamento, 2020.

ISBN 9788562131769

1. Contos brasileiros. 2. Crônicas brasileiras. 3. Poesia brasileira. I. Título.

20-64276

CDD: 869
CDU: 821.134.3(81)

Meri Gleice Rodrigues de Souza - Bibliotecária CRB-7/6439

07/05/2020 11/05/2020

Mario Milani / Rotary 4510

BENJAMIM
caçador de poetas

4ª Edição 2020
São Paulo – SP

Letrasdo Pensamento

Diagramação: Adailton Ragazoni

Capa Design Grafico: Adailton Ragazoni

Planejamento Editorial: Milani GI Ltda.

Revisão: Cristina T. M. Saito e Airan Rodrigues

Coordenador Editorial: Mário Milani

Diretor Editorial: Claudio P. Freire

4ª Edição — 2020 — São Paulo-SP

Letrasdo Pensamento

LETRAS DO PENSAMENTO
Largo São Francisco, 181, 6º Andar - Salas 11/12 - Centro
CEP: 01005-010 - São Paulo - SP
Telefone/Fax: (11) 3107-6501 (11) 9-9352-5354
Site: www.letrasdopensamento.com.br
E-mail: vendas@letrasdopensamento.com.br

Impressão no Brasil

PREFÁCIO

Fiquei muito honrado em poder participar desta obra literária que envolve o Rotary International. Na qualidade de jornalista e comunicador social, sempre defendi a solução dos problemas baseado na informação, afinal, ninguém erra por querer e sim por não saber. Neste caso o livro é uma obra literária que estimula rotarianos, ou não, a colocarem ideias, pensamentos e propostas no papel, habilidade para poucos, pois, nem todos conseguem escrever o que pensam.

Assim sendo, um livro como este, reunindo manifestações de rotarianos, ou não, deve ser ressaltado sempre, e, na quarta edição, mostra o quando é possível acreditar nas pessoas e ainda no registro de suas ideias e sentimentos. Vejo no nome "Caçadores de Poetas", bem sugestivo porque é preciso caça-los, mesmo estando em abundância em clubes e eventos rotários em todo o território nacional, e especificamente na região centro-oeste do interior paulista, onde estamos localizados com o Distrito 4510 do Rotary International. Fico feliz pela perseverança dos editores e ainda mais em observar a riqueza de obras existentes num País onde muitos pensam que não gostamos de escrever ou ler, hábitos que uma vez adquiridos, permanecem na vida das pessoas até o final dos tempos.

É preciso estimular, incentivar e promover. É isso que este livro provoca nos rotarianos, ou simpatizantes, no sentido de resgatar o sentimento genuíno, transportado em palavras e mensagens das mais diversas, sejam rotarianos de longa data ou com novatos. É preciso ter coragem para expor algo tão pessoal, o que um poema é capaz, e desafio é algo inerente ao perfil do rotariano, que normalmente é uma liderança no segmento em que atua. Um simples texto é capaz de mudar ou transformar uma vida, e obras como esta, comprovam cada vez mais, de que as "palavras tem poder", mas são nas atitudes que lideramos as pessoas. Neste caso são poderes de transformação, de pensamento e sentimentos que muitas vezes necessitam apenas de um empurrãozinho para se transformarem numa grande obra de vida.

Unindo a visão humanitária do Rotary, com o potencial das pessoas sensíveis e capazes de transformar sentimentos em palavras é que vamos transformar o Mundo, inclusive, sendo a conexão necessária para que as pessoas do bem possam agir em sua plenitude. Esse livro é uma destas ferramentas que tornam o Mundo melhor, através das pessoas, afinal o Rotary reúne líderes para a discussão de problemas humanitários na sociedade, apontando soluções através da The Rotary Foundation, a fundação criada pelos rotarianos do Mundo.

Márcio Cavalca Medeiros,
Jornalista, radialista e empresário.
Governador do Distrito 4510 do Rotary International,
Gestão 2011-12, associado ao Rotary Club de Marília-Pioneiro.

SUMÁRIO

LIDERANÇA NO SERVIR*

Ao longo da história da humanidade, os mais diversos campos do conhecimento dissertam sobre a condução de pessoas, transformando-as numa equipe na busca de resultados. É a chamada liderança.

Desses estudos surgiram várias teorias, pois alguns afirmam que os líderes já nascem prontos, enquanto outros, que é possível desenvolver a liderança e adequá-las às necessidades que se apresentarem. Mas, seja qual for o conceito que se adote, fato é que tais estudos não terão valia se a liderança não motivar seus colaboradores na busca do resultado que se almeja alcançar.

No convívio do cotidiano, não raro, somos chamados a uma reflexão crítica envolvendo a relação dialética entre a teoria e prática. Nesse contexto, sobretudo nas organizações das quais fazemos parte, nos deparamos com questões éticas enquanto princípios pelos quais nos relacionamos com outros seres humanos.

No Rotary - e nem poderia ser diferente -, todo rotariano tem papel fundamental porque assume o compromisso de dar sua contribuição pessoal para a realização do ideal de servir ajudando, inclusive, na formação da opinião pública.

É por isso que o objetivo do Rotary nos impulsiona a estimular e fomentar o ideal de servir como base de todo empreendimento digno, de modo que possamos, enquanto missão, difundir elevados padrões éticos e promover a boa vontade, paz e compreensão mundial por meio da consolidação de boas relações entre líderes profissionais, empresariais e comunitários.

Certamente não foi por outro motivo que Paul Harris, com seu peculiar senso de grupo, disse que os rotarianos são a mola propulsora de quase todos os tipos de esforços meritórios. 1

O Rotary nos proporciona esse exercício contínuo de liderança, mas é preciso saber "identificar e satisfazer as necessidades - e não os desejos ou as vontades – das pessoas" para que existam eficiência e eficácia nas ações desenvolvidas.

Porque liderar é servir e a recompensa para quem exercita a liderança cônscia é a satisfação interior e a convicção de que está em sintonia com os princípios profundos e permanentes da vida. Sobre essa questão, há mais de um século, Paul Harris se dirigiu, por meio de carta, ao conselho diretor da International Association of Rotary Clubs para alertar que "o homem que insiste para que toda a autoridade emane de suas duas mãos limita a realização de seus ideais ao tamanho delas. A casa que tem um cano de dois centímetros de diâmetro conectando-as ao cano de trinta centímetros que distribui água para a cidade será abastecida apenas pelos dois centímetros e não pelos trinta. O mesmo acontece com a corrente de poder e progresso do Rotary se tiver de passar para os sócios através de um cano de dois centímetros, não teremos nada mais do que o poder e o progresso que passar através desse diâmetro. Seria demais pretender encontrar um único cano com o diâmetro certo do Rotary, mas talvez encontremos dois ou três, cada um para transportar uma parte de carga e dessa maneira prestar maior quantidade de serviços ao mundo

A liderança em Rotary nos liberta quando exercida com tolerância, sem arrogância e sem a máscara do egoísmo e da vaidade, porque o servir nos livra das amarras do ego e da concentração em nós mesmos trazendo-nos a alegria de compartilhar e de viver.

Aqueles que em Rotary atendem ao chamamento do visionário Paul Harris, publicado na revista The Rotarian de fevereiro de 1916, para que sejamos construtores e não alpinistas sociais desenvolvem a consciência rotária e pessoal de que o exercício da liderança pelo servir dá a grande oportunidade de exteriorizar o amor que "é paciente, é bom, não se gaba nem é arrogante, não se comporta inconvenientemente, não quer tudo para si, não condena um erro cometido, não se regozija com a maldade, mas com a verdade, suporta todas as coisas. O amor nunca falha."

Como em Rotary não há projeto que não envolva o relacionamento de pessoas, todos são imprescindíveis, devendo haver o espírito e a certeza de que nas ações que praticamos não há lugar para vaidade pessoal porque quem realiza não é o indivíduo, mas a Organização.

Se assim for, poderemos dizer que vivendo, participando, aprendendo, partilhando, sendo uma peça útil dentro da engrenagem, pouco importando os cargos que ocupamos - que são passageiros -, porque toda ação é importante, nós seremos unos com o grupo deixando de ser o personagem "eu", indivíduo, para sermos o "Eu sou Rotary" e, com isso, estaremos juntos e unidos construindo a Paz por meio do Servir.

Aliás, em Rotary, a liderança não gera poder e nem autoridade, mas, tão somente, traz maiores responsabilidades. Por congregar em suas fileiras líderes profissionais, empresariais ou comunitários, a liderança é essencial em Rotary. Mas, ousando filosofar, é de se refletir que o Rotary é estático e que quem lhe dá vida são os rotarianos.

Talvez pensando nisso, no início do século XX, Paul Harris - mais uma vez – deixou-nos uma grande reflexão ao afirmar que "nunca um rotariano pode ser mais importante que outro e, embora alguns, num determinado momento, tenham mais responsabilidades que outros, nenhum tem mais valor que o outro".

Sendo assim, acredito ser correto afirmar que a liderança no servir deve ser exercitada com respeito às pessoas - pois todas são importantes -, com autenticidade, sem pretensão ou orgulho, inclusive porque a liderança somente se concretizará plenamente quando houver a compreensão de que todos são fundamentais para o servir rotário, simplesmente porque o Rotary não são outras mãos senão as mãos dos rotarianos.

Com base no princípio de que o maior líder é aquele que mais serve, acredito que liderança é servir, pois essa postura inspira e motiva por meio de atitudes, de exemplos.

Em Rotary, e em qualquer situação, sejamos líderes para servir!

***Paulo Eduardo de Barros Fonseca**
Governador do Distrito 4430 – 2006/07
Training Leader nas Assembleias Internacionais 2019-2020
Paul Harris. Meu Caminho para
Rotary James Hunter. O Monge e o Executivo
Paul Harris. Honrando Nosso Passado:
As palavras e a Sabedoria de Paul Harris, pg. 42,
Rotary International Bíblia, 1 Coríntios 13

A VIDA DE UM COMERCIANTE

1941, 27 de Janeiro na Jordânia um guerreiro nasceu pra vencer barreiras.
Enriquecido de vontade alcançou maioridade e veio às terras brasileiras.

Mascate foi seu ofício suportou ao sacrifício e foi por Deus abençoado.
Dona Sidney e Sr. Talal formaram um lindo casal com três tesouros do seu lado.

Em Marília sabiamente cresceu persistentemente, enfrentando turbulência.
Desde os 12 sua filha aprendeu aonde brilha sua doce competência.

Fátima em especial agradece Sr Talal, seu ilustre antecessor.
Dom, esforço e dedicação ensinou nobre lição por ser grande professor.

Zayed é o sobrenome da família deste homem trabalhador e pensa além.
É exemplo verdadeiro que o mal não é companheiro daquele que faz o bem.

A FORÇA DE UMA CONQUISTA

Vem, vamos embora é chegada a grande hora do presente ser futuro.
Uma escolha inteligente de tão simples, competente deste grupo tão maduro.

60 meses foram suficientes para abrir as suas mentes, encontrar um novo rumo.
1000 dias de esperança estampados na lembrança mesmo sem fazer resumo.

Pouco a pouco cada qual tentou ser original, procurar o seu espaço.
Sacrificando quase tudo regrou tempo para o estudo e superou todo cansaço.

Reformando seu horário passou a ser estagiário, praticar a profissão.
Jurou defender o valor deste povo sonhador como prova da missão.

Novo ser especial cumpre o seu dever legal, coerente e estrategista.
Pra mostrar que é capaz de buscar imensa paz pela força de uma conquista.

ONDE É QUE ESTAVA EU

Cada passo praticado, nosso encontro inesperado o destino escreveu.
Sem indicar local ou data descobriu na hora exata onde é que estava eu.

Concordou tão comovido em escolher, ser escolhido e eterno amor me prometeu.
Se porventura não me encontrava ao mundo todo perguntava "Onde é que estava eu ?

Decepcionado com a tristeza brigou sem existir certeza e sua visão escureceu.
Acreditando ter sofrido pensou então ter esquecido onde é que estava eu.

Decidiu, por ser humano fazer pra si um novo plano quando enfim se arrependeu.
Em sua vida sempre me quis presente por isso buscou infinitamente onde é que estava eu.

E onde é que estava eu quando você apareceu implorando meu perdão?
Demorei pra perceber que eu estava sem saber dentro do seu coração.

APARÊNCIAS

Romance de encantar atrasa muito pro jantar equivoca as preferências.

Chegar tarde sem defeito tudo isso foi feito pra manter as aparências.

Ofensas sem idiomas, maquiagem pros hematomas; uma esposa com carências...

Separados quarto e leito tudo isso foi feito pra manter as aparências.

Filha num abismo chamado alcoolismo distante das consciências.

Estudar fora, que perfeito!

Tudo isso foi feito pra manter as aparências.

Filho num precipício aprisionado pelo vício causador de dependências.

Trabalhar longe não teve jeito tudo isso foi feito pra manter as aparências.

Relato tão atual desta vida social condenada por decadências.

Mero e puro preconceito tudo isso foi feito pra manter as aparências.

LOUCO DO AMOR

É mais uma madrugada vou vagando pela estrada rumo ao caminho de casa.
O colarinho está manchado totalmente embriagado com o corpo todo em brasa.

Naquele lençol aconchegante eu fui mais que seu amante, repousou o meu pecado.
Foi nos braços da ternura, no calor da formosura declarei-me apaixonado.

Tal qual um adolescente, um bobo inconsequente mensurei todo o perigo.
Pra provar ser um casal preferi a você no Natal a ao meu melhor amigo.

Chegou então o momento dos proclamas de casamento, dos meus bens, a divisão.
A aliança está no dedo no amor não há segredo, muito menos previsão.

Aquele beijo gostoso com aquele jeito dengoso, seus encantos de mulher.
Reconheço pouco a pouco que deveras sou um louco e faço tudo que ela quer.

EM UM ÚNICO SER HUMANO

Desde 1976 em Outubro cujo mês menciona sem dano. Primeiro dia de legramentos um emaranhado de sentimentos em um único ser humano.

Na cidade de Marília constitui sua família repleta de vários planos.
Nobres gestos e talentos um emaranhado de sentimentos em um único ser
humano.
Seu marido na verdade é sua outra metade retratada ano a ano.
Assume comprometimentos um emaranhado de sentimentos em um único ser
humano.
Seu determinado filho é reflexo de seu brilho afastado do engano.
Ensina comportamentos um emaranhado de sentimentos em um único ser
humano

Por Alessandra nomeada em boas coisas entrelaçada e um espírito artesano.
Formada pelos eventos um emaranhado de sentimentos em um único ser
humano.

O ORGULHO DE UM CONCURSADO

Ser de pura inteligência, de extrema competência por Aroldo alcunhado.
Este belo apelido por ele foi conhecido
e caiu no seu agrado.

Aos estudos apegado não se importa em deixar de lado algumas horas de sono.
Considera instrutivo
o poder de cada livro e despreza seu abandono.

Em Marília cumpriu jornada e em Gália constrói estrada pois agora faz sentido.
Frequentemente, sem hesitar, à nobre mãe vai visitar em Lugar Incerto e Não Sabido.

Encara sempre aos seus dilemas e enfrenta seus problemas na mais pura
sinceridade.
Sinto-me lisongeada em dizer muito obrigada por toda sua fidelidade.

De futuro consagrado um ilustre concursado realista do próprio sonho.
Não existe nenhum perigo em chamar calmo amigo cujo nome é Marco Antônio.

HOMENAGEM A UM POETA

1949, 9 de Abril apresenta-se ao Brasil sonhador rico em graça.
Irrecusável convocatória Mário Milani faz história nos lugares onde passa.

Verdadeira confiança em Marília segurança os problemas desembaraça.
Voz abrilhanta grande glória Mário Milani faz história nos lugares onde passa.

Legado natural retratado sem igual as barreiras ultrapassa.
Mente brilhante, tempo e oratória Mário Milani faz história nos lugares onde passa.

Muito talento e trabalho um esforço sem atalho, desafios que abraça.
Eternizado na memória Mário Milani faz história nos lugares onde passa.

Espírito maduro abre portas pro futuro oportunas e em massa.
Escreve dedicatória Mário Milani faz história nos lugares onde passa.

POESIAS PARA O CORAÇÃO: UMA HOMENAGEM PARA VOCÊ

Confiável ser humano detentor de um belo plano há muito tempo conhecido.
Seu ensino leva adiante um precioso ser brilhante com talento adormecido.

Suas aulas com frequência aguçaram a inteligência de um aluno interessado.
É dotada de coragem a correspondente imagem deste homenageado.

Enriquece o andamento de um amplo conhecimento demonstrado por vontades.
Uma porta de entrada cuja alma está centrada em dar oportunidades.

Virtuoso comandante deste mundo um viajante, lindo rumo bem eleito.
Torna simples o problema pois do estudo é o tema e Filosofia pro Direito.

Maturidade que encanta, nasce, cresce, colhe e planta os tesouros de um defensor.
Em conquistas colecione Lafayette é o nome deste nobre professor.

AOS PAIS

Atende às choradeiras
aquecendo mamadeiras
e brincando nos quintais.
Clara e justa disposição
por ser mais que um campeão
Feliz dia dos pais.

Zeloso, não per mite
muito menos admite
tratamentos desiguais.
A este ser precioso
um desejo amoroso:
Feliz dia dos pais.

Sentimentos demonstrados
desde abraços apertados
até os mais cordiais.
Faz a própria diferença
cativada presença
Feliz dia dos pais.

Pelo tempo ensinado
pouco a pouco transportado
aos dias atuais.
Sem o medo de partir
orgulha constituir
Feliz dia dos pais.

Bom e honesto cavalheiro,
um modesto conselheiro
pra não esquecer jamais
Todo dia e toda hora
o seu peito comemora
Feliz dia dos pais.

A MISTURA DA CIDADE

O peixe parou, mas a rima não
Aqui tem baque caipira, os loucos e as famílias
A saia gira, você pira e a rima te agrada
Eu moro na cidade do rio Piracicaba

O monte é Alegre, a rua é do Porto
Arte onde tinha os senhores do Engenho
O samba vive e é revestido por lenços
Viver nessa cidade é um axé, uma benção

Lembro do saudoso Elias dos Bonecos
Da resistência no Largo dos Pescadores
A gente bebe, se diverte e esquece as dores
E transforma todas elas em sabores

Aqui tem Garapa e vários pontos de cultura
O Andaime te leva à magia do teatro
Em Pira todo mundo se junta na mistura
E nela fico e me sinto muito aconchegado

Airan o Turco
Jornalista, rapper e poeta
Piracicaba (SP)

NO FUTURO UM ESCRITÓRIO MONTAR

Provas e mais provas
Cola nem pensar
Você tem mesmo
É que estudar

O boletim está chegando
E o fim de semana
Se aproximando
Será que uma boa nota vou ter?

Dificuldade na escola
Até pode ser
Mas no futuro não posso ter
Pois USP quero fazer

Queria poder sempre sair e me divertir
Mas daqui uns anos
Vou ter que parar
Pois na faculdade de direito quero entrar

Outra etapa vai começar
Na faculdade vou passar
E depois trabalhar
Um escritório vou montar

Não sei como vai ser
Mas pode apostar
Que desde agora vou tentar

Quando era pequena
Queria ser bailarina
Mas agora enxergo a vida como é
Não sei se meu futuro
Será na ponta do pé

Mas agora a escola
É a base do meu futuro
Então vou estudar para
No futuro um escritório montar

VAMOS SEMEAR...

Quase não percebo a caneta entre meus dedos; é de uma leveza! E, no entanto, com ela registro pensamentos densos que me atordoam e podem me tirar do prumo da vida de esperança, de sonho que ainda quero sonhar.

O muro não conversa comigo, não importa, o espetáculo que oferece aos meus olhos acolhendo a planta esparramada sobre ele é incansável de se olhar. Posso entender seu jeito de falar comigo, me fazendo sentir ser a planta.

Um cético poderia dizer: o que pensar desse tipo de comunicação?

O que sei é do meu amor por plantas, pássaros, rios, cachoeiras, matas densas. Ver o beija-flor beijando a flor com tanto cuidado me emociona. Ver a mão do chupim se apossar do ninho do pardal para ali botar seus ovos, é incrível, e continua sendo incrível quando, ao nascer o chupim, ser alimentado pelo pardal.

No pequeno quintal da minha casa, observo esses fenômenos do mundo das aves, ao amanhecer e ao anoitecer.

A pomba do ar, enorme, parecendo uma galinha, anda constantemente pelo quintal como se fosse seu habitat, e nossa família respeita seu jeito de ser.

Quando ela chega, procuramos fazer silêncio, para não perturbar esse seu momento. Após alimentar-se e beber água, deixados estrategicamente para os pássaros que nos visitam, ela olha por tudo, caminha feito rainha, descansa um pouco apoiada no muro, parecendo querer dormir. Porém, com a chegada de outros pássaros – pardal, chupim, pomba-rola, bem-te-vi – ela alça voo.

Penso ser importante registrar que meu marido, o Lino, é o provedor do alimento para os pássaros.

Curioso perceber como ficaram diferentes pelo fato de o Lino estar viajando.

Não piam, não cantam como quando ele está.

Providencio o alimento, mas não fazem a mesma recepção que fazem para ele.

Os dias passam, o Lino está quase chegando, e com ele, com certeza, o canto dos pássaros vai, novamente, configurar-se em música celestial, no quintal dessa casa.

Infelizmente, ao chegar, adoecido, o Lino faleceu.

Nada nos pertence.

O universo não nos pertence.

No entanto, a vida nos mostra que podemos ser construtores de vínculos com o universo, com plantas, rios, oceanos, animais, pessoas.

Na última visita que recebi de minha mãe, antes de sua morte, deu-me de presente uma pequena muda de espirradeira, que apanhou de uma árvore plantada na calçada por onde fazia caminhada certa manhã.

Plantei a muda no centro do jardim da casa onde moro e dei-lhe o nome da minha mãe que faleceu no ano seguinte. A espirradeira cresceu e floresce constantemente, me agraciando com seu perfume.

A orquídea branca, o sapatinho de Judia, as flores de maio de variadas cores, o lírio da paz, as samambaias verdejantes e tantas outras, têm o nome de pessoas queridas com quem construí vínculos e encantam meu viver.

Aos poucos, os pássaros, percebendo a ausência do grande provedor, foram se afastando.

A gata da família, Branca, gostava de dormir com ele. No primeiro dia, após o falecimento, andando pela casa, parou em frente à porta do quarto, olhou por alguns segundos... E não entrou.

Essa cena provocou choro, inicialmente na Cristina, minha nora, contagiando a todos.

Vamos semear, a terra sempre espera.

Diz-nos Mario Quintana que, quando achamos que sabemos todas as respostas, vem a vida e muda todas as perguntas.

Só a experiência pode nos trazer luzes na escuridão, que não são respostas, e sim, uma possibilidade de perceber a vida como ela é, nuances de um amanhecer prenunciando o entardecer.

Nascer para morrer, viver esquivando-se do momento final, do último olhar já comprometido. O último expirar sofrido. Um até mais, não sei quando, para sempre.

Nada sabemos, em tudo cremos na dor. Amar continua sendo um aprendizado do antes, durante e o depois.

O AMOR...

Odeio aparecer do nada sem ser convidada, mas não resisti, mais uma vez quis te ver, Falar de nossos desejos, loucuras a dois, não ficando nada para depois
O depois acabou com as esperanças, nada deixou
Chorei. Não queria te ver partir assim da minha vida
Éramos nós dois
Agora, menos um
Outro distante... Menos um
Queria poder te ver
Na luz que reflete
O que vivemos
O que desejamos
O que conseguimos sentir a dois
Agora um
Agora um

Sem volta

O viver vivido
Ficou na luz que não se foi
Para poder viver assim
Agora um...

No espelho, olho a vida que fizemos de nós dois.
A cada dia, algo reflete
Nada se perdeu

Mercedes Canassa Serafin

Às vezes não consigo enxergar
E como um bebê procura o seio para saciar a fome
Procuro na luz que reflete no espelho a vida que fizemos de nós dois
Parece sonho, mas não foi sonho, aconteceu...

Nossos filhos existem
Nos deram filhas
Nos deram netas
Não foi sonho a vida que fizemos de nós dois...

INCERTEZAS

Se todo dia terminasse assim, seria
Mais feliz. Tão bom foi que vou dormir
De tanto gozar a felicidade da minha
Jornada esburacada, de não desistir de caminhar,
De chorar sem me pendurar no outro, de
Dar minha mão sem dela me soltar. É
Bom camarada, é bom, é bom. É mesmo
Muito bom sentir esse sono me chamando
Para descansar. Já estou indo, chegando, no meu
Leito vou me deitar, minha cabeça descansar,

Amanhã, inteira, quero me levantar, pois sei que
Vou começar de novo do marco zero e esperar
Como o dia vai acabar. Sabedoria, não,
É vida, só, sei tão pouco de tudo o que sei
Que, ao dormir, não me pertenço mais, tudo pode acabar,
Ou começar.

BRASAS ARDENTES

Quando garota (10-11 anos), brinquei com fogo e não me queimei.

Papai foi um homem alegre, festeiro. Gostava de organizar festas juninas, preferencialmente de Santo Antônio, padroeiro de suas crenças.

A preparação para essa festa começava uns 20 dias antes do dia combinado. Definia os convidados, que a cada ano aumentavam, dividia as tarefas: buscar lenha para fogueira, comprar leitoa, cabrito, frango caipira, guaraná, cerveja e matar um boi para churrasquear.

Faltando dois dias para a festa, era montada uma barraca grande, de madeira de eucalipto e cobertura de lona de cobrir café no terreiro.

O pau de sebo ficava perto da fogueira, que era para esquentar as pernas de quem nele ia subir.

As mesas, muitas mesas, com o tampo de madeira eram apoiadas em cavaletes também de madeira.

O quentão, a cachaça para aquecer os corações, amendoim, paçoquinha e milho verde cozido em tachos de ferro fundido. Em um tonel de carvalho, o vinho caseiro esperava a hora de ser servido, para os adultos.

Muita batata doce cozida no forno à lenha, broa de fubá, canjica e pipoca.

Festa boa, alegre, os casais dançando a quadrilha e a criançada acompanhando.

De toda essa festança, eu ficava esperando a hora de andar por cima das brasas da fogueira, sem sapato, descalça mesmo.

A fogueira montada mais parecia um altar que depois colocavam fogo até a madeira virar brasas espalhadas com um rodo de espalhar e juntar café no terreiro.

Eu ficava na fila para caminhar por cima das brasas. Era para ir e voltar. E eu ia evoltava.

Gente, quando penso nessa vivência, fico imaginando: "como eu fazia aquilo? Uma mente que não sabe o que está fazendo e faz sem se queimar?"

O que me impulsionava?

A crença de ouvir os outros dizendo:

- Pode passar. Não vai queimar.

A beleza das brasas me convidando a andar por cima delas?

Seria coragem, paixão, loucura?

Hoje não sou mais uma garota, sou uma mulher adulta, mãe de três filhos e avó de cinco netas.

Não posso me queimar, seja caminhando na brasa ardente ou por paixão, loucura de desejos entrelaçados arraigados em meu ser.

Coragem, hoje, não sei se teria para caminhar em cima das brasas.

Estou apaixonada?

Estou. Pode não parecer, por ser uma paixão que sustenta loucuras da minha mente farta de fantasias, alucinações e delírios, amedrontando e, ao mesmo tempo, acalmando essa paixão que queima.

Vida que segue indefinida, sempre, enquanto eu viver.

SUMIU?

Beijos de peixe... É, aquele de biquinho. Amor e paz, de noite e de dia, porque isso não cansa nunca, só dá vontade de ficar mais perto. Saudades de montão e dinheiro na mão, estou chegando e não quero choro não, quero cantar forte, quero andar na contra mão sem precisar dar satisfação nem pro Pedro nem pro João. Só tenho amor no meu coração, outra coisa não mostro não, deixo o povo falar, fazer o que quiser, não me importo não, só não quero ficar sem meu amor, aquele que não pediu para entrar e roubou meu coração, e fez morada nele desde antes mesmo de abrir meus olhos para a vida. E agora não sei viver sem ele não, nem quero, é tão bom ter um amor assim juntinho de mim, esquentando a sola do meu pé, com o seu chulé, com cheiro da flor do Jasmim, aquele que é amigo do Querubim, vizinho do Serafim. Calma, minha gente, o padre está chegando, a noiva não vai fugir, o noivo não vai dormir. Ele quer é outra coisa com ela.

Mas isso ninguém precisa saber. Nem o pai dela nem a avó dela, aquela que diz que deu só quando quis, não diz para quantos deu antes de dar só quando quis. Mas, eu não quero saber se deu ou não deu, o que importa é que o meu ninguém comeu nem vai comer. Está pensando que a sorte bate na porta duas vezes, é? Bate muitas, nem sei o que tanto.

Acontece que não avisa, nem manda recado, então o negócio é ficar ligado, falou? É igual caçamba de entulho, o que não serve para um, o outro leva para casa. Vou parando por aqui, desantenei minha loucura, vou para outro lugar que é para ninguém desconfiar de mim e me internar, sacou? Então sacode o bode que a cabrita chegou de Portugal, aquela que disse que ia visitar o Cabral, aquele que diz que descobriu o Brasil, e está descoberto desde hoje. Não, né? Imagina, ninguém pode falar nada desse negócio tão gentil, ninguém sabe, ninguém viu, isso deve ser intriga da oposição, esses sim roubaram a pátria amada e fugiram com o rico dinheirinho desse povo varonil. Bha! Canalha que rouba canalha não vai preso não, puxa o freio, pega o primeiro trem e vai... vai pra pqp, canalha, malaca, sem coração, plantou a semente do não sei não, nos verdes campos desse imenso Brasil. Não adianta cantar salve salve. Salvaram a própria pele e o sonho intenso não aconteceu, nem pra mim, nem pro tio da Mariquinha, aquela que foi pra Portugal e perdeu o lugar. Depois eu continuo, a polícia chegou aqui, agora, perguntando se eu conheço o Joaquim, ele comprou um carro no nome do Abreu e se fudeu. É, a vingança às vezes pega o vingador. Ai, nem o doutor dá jeito no estrago do motor. Não conheço nem o Joaquim, nem ninguém da rua de cima ou da rua de baixo. Só sei que todos perderam o lugar lá na casa do Careca, aquele que não gosta de tomar no castelo chinês. Não me pergunte porque, nunca vi nada dele, nem sei o que ele faz, só sei que o melhor amigo dele morreu de tanto tossir, quis comer uma banana muito grande e não conseguiu. O Careca ficou sem cueca, sem castelo, sem chinelo, e o chinês pegou catapora da dona Aurora, comadre daquele sem cachola, que andava atrás da carroça pegando a bosta do cavalo para colocar na horta do marido, que morreu atrapalhado da cabeça, não sabia mais qual era a de cima, qual era a de baixo, virou sapo, saiu pulando, grudou na nuvem e foi para o céu, aparece uma enxurrada de lixo, parece capricho da oposição, o bom é que não me canso, fico bela e formosa no meio de tanta merda exposta do falso casal nota 10, da família perfeita, do vizinho sedutor, da mulher trepadeira, do filho mal amado, do marido solitário, da pipa do vovô que não sobe mais, da mulher que quer dar sua rosa e não tem pra quem. Faz de conta que não sei nada disso: essas coisas só acontecem para os outros, os infelizes.

Bom, é bom parar para continuar outra hora, se não vai escapar algum bicho da gaiola.

SEM NOME

Amigos da vida que segue acontecendo, mesmo sem a gente se encontrar. Toda vez que o céu escurece, fico imaginando que alguém vai chegar pra conversar com minha loucura sempre pronta para amar e atacar o tendão de Aquiles de um outro louco que se dispõe a acreditar ser possível um louco curar. Só de pensar, minha espinhela caiu, não deu pra segurar, já estava mais pra lá do que pra cá, fazer o que agora, devia ter aprendido a não confiar no que meu olhar não alcança, pra não chorar essa dor sem fim sempre grudada em mim. Pqp, não tem jeito mesmo, não consigo dessa dor me livrar, cutuca sempre, é só querer falar de amor pra sentir essa dor.

Entra semana, mês, dia, noite, vou ficando só na espreita quando ele chegar: Ele quem? Ora, ora, ora, é preciso ainda falar? Será que não veem como eu sou, como vivo, como meu olhar está sempre procurando algo no infinito do céu, do luar, no sol quente, no relâmpago que chega sem ser convidado e arreganha minhas entranhas? Ora, ora ,ora, amigos dessa vida que segue acontecendo mesmo sem a gente sem se encontrar. Segue acontecendo porque o que aconteceu lá hoje acontece cá como se fosse algo desconhecido, parecendo ser novidade, loucura desconhecida de lá que ficou grudada da cabeça aos pés e agora quer desgrudar. Como fico agora comigo se não consegui ficar quando não sabia o que sentia, e agora também não sei, só que agora sei que não vai dar pra segurar nada, nadica de nada, a loucura represada está dando pinote, coice, feito mula cega, igual jumento pronto pra pegar essa mula, mesmo cega, pra ver se ela aprender a enxergar. Já estou sentindo que essa história não vai acabar tão cedo, é daquelas que fica, fica, e não cansa de ficar. Pra quem não sabe, vou logo avisar: Se você é igual mula cega, se vira, nem que fornos trinta, pois se o jumento te pegar... ainda mais se for um que conheço, não sai de cima enquanto não conseguir de todo jeito que quer, do jeito que acredita, dá uma, dá duas, e por ai vai, até dar um gemido exprimido, parecendo satisfeito, só que não para, quer mais, saber mais, vai cutucando, apertando... Até chegar lá.

Se cuidem, procurem enxergar, façam esforço pra aprender antes do caldo entornar, depois não adianta louca de pedra ficar, então é melhor deixar de ser mula cega pro jumento não te pegar.

AVANTE BRASIL

És o solo sagrado, reafirmado
Na têmpera dos seus nativos
E na garra do imigrante adotado,
Propugnando-lhes mil atrativos.

Seu povo, sempre laborioso
Vai à luta com galhardia,
Para um porvir vitorioso
Com força, garra e ousadia.

Espelhando em nossos antepassados,
Caminhemos para um bom legado deixar,
Com todos os nossos pósteros entrelaçados.

Com seu novo governo, este é o momento
De mostrar ao mundo, a garra e o ímpeto
Do povo brasileiro, sem esmorecimento !

Dez/2.018

CARIDADE

A caridade é a arte de enxergar no próximo, um irmão
C om os olhos da alma e vergar
A mor e paz em profusão.
R epara o teu irmão que chora,
I irmanando-se em seu sofrimento,
D ando-lhe o consolo desta hora.
A tenda os clamores dos humildes,
D ando-lhes um pouco de alento
E assim, engrandecerás a obra do Criador.

PROFESSORA SOFIA

Onde andarás?.. O tempo não apagou
A lembrança dos tempos de infância,
Das minhas primeiras letras,
Que não voltam mais.

Lembrando das caminhadas, nas manhãs,
Em sua companhia à Escola Cascata,
Vejo-me hoje, revivendo aqueles
Momentos felizes do salutar aprender.

Que o criador a ampare sempre,
E seja sua sentinela
Onde quer que esteja.

E, quanto à mim, resta a gratidão
Pelo meu encaminhamento,
Arte que o seu saber ensejou.

MARCELINO MEDEIROS

Ìcone mariliense do Rádio...
Aqui nasceu, floresceu, laborou e venceu.
Com o ideal de um timoneiro, elevou-se com gládio,
Sempre no trabalho sério, que a todos convenceu.

Conquistou muito respeito e amigos, naturalmente
Porém, cedo a fatalidade tirou-o de nosso cenário,
E, lá no mundo espiritual, certamente,
Sua estrela continua a brilhar, como num campanário.

A Rádio Vera Cruz de Marília era sua estrela- guia,
Que ascendia nos meios de comunicação,
Trazendo aos ouvintes, o mundo e sua alegria.

Convivemos nos bancos do Grupo Escolar,
E, bons colegas fomos, com lembranças infindas
Da professora e tudo mais, num contexto exemplar.

MEUS CARROS AMADOS

DAUPHINE 62; Foste meu primeiro carro, primeira emoção sobre rodas causou..
FUSCA 53; Tu que eras alemão de origem, superou pretensões e nunca falhou..
CORCEL I ; Que muitas alegrias me proporcionou e no dia a dia sempre ousou..
DOGINHO 74 ; Veículo possante, com o qual meu desempenho melhorou..
MAVERICK 75; O esporte sobre rodas, vibrante, muitos desafios fustigou..
COMODORO; O luxo sobre rodas e muito sucesso protagonizou..
CHEVROLET D.10; A cor preta e motor perkins, robusta, a fronteira elogiou..
IPANEMA 81; Linda, no lançamento à álcool, sua praticidade me alegrou..
OPALA 76; Suas linhas arrojadas, de imprevistos não se falou..
RURAL WILLYS 70; Em suas cores azul e branca , sua elegância a todos marcou..
PASSAT 75; Muito sofrido em mãos anteriores, rei das quebras e oficinas, ousou..
VARIANT 74; Sua cor ocre impressionava, com chuva encharcava o painel, marcou..
VOLKSWAGEM 76; cor creme, na fronteira, em Florínea, comigo trabalhou..
FUSCA 66; Com ele curti momentos no Clube do Fusca como antigo-

mobilista, alegrou..
FORD PAMPA 78; Sua cor verde floresta e sempre em alta, lembrança deixou..
DKW-VEMAGUET; Muitas lembranças e emoções de ti brotou..
VOYAGE 82; Seu sucesso e conforto à primeira vista me cativou..
FORD F.1000 93; Sua força e garra, a tudo e a todos conquistou..
S-10- PICK UP 95; Em sua cor grafite, foi pau "pra" toda obra e nunca mancou..
ECOSPORT-FORD 2.009; Suas linhas arrojadas, foi o Jeep que deslumbrou..
BMW x.1, 2.012; Em sua cor marron marrakesch , seu brilho, em tudo me fisgou..
C HEVR. KADETT; Como um altivo soldado, suas linhas impressionou..
FUSCA 77; Sua cor branca na exposição dos zero Km, na COMASA, me apaixonou..
JEEP RENEGADE 2.016; Restabeleceu a famosa marca, desde 1941 voltou, viu e ficou..

A esses amigos anônimos que comigo fizeram e fazem minha história, por serem parte de minha vida, muitas alegrias me proporcionaram, alegrias essas, que suplantaram em muito os pequenos dissabores, com alguns momentos passados em oficinas mecânicas, despachantes, guinchos, onde também fiz amigos, casas de baterias, sem falar do primeirocarro, depois rifado, o Dauphine 62, de bateria 6 volts e que minha cliente do escritório de contabilidade me flagrou empurrando-o na esquina da avenida Rio Branco em Marília-sp., sem partida, ocasião em que ela, com seu carro do ano, um volkswagem 70, me perguntou: Sr. Celso, precisa de ajuda? Como tudo faz parte da vida, essas emoções sobre rodas em muito acresceram.

EM CASA DE FERREIRO, ...

Tempos atrás, necessitando dos serviços de um profissional serralheiro vim a conhecer o "Toninho", ocasião em que minha esposa andava muito preocupada e impaciente com uma porta balcão recentemente assentada, que deixava a sala de nossa casa muito escura por possuir apenas dois vidros para luminosidade. Soubemos que havia uma serralheria no bairro Palmital. Para lá nos dirigimos a fim de solucionar o problema da referida porta de correr, sem precisar trocá-la. Nas duas primeiras tentativas perdemos viagem, com a oficina fechada e um aviso: "volto logo".

Na terceira vez encontramos o serralheiro responsável pelo, justamente o "Toninho serralheiro", como é conhecido e nos atendeu prontamente, marcando um horário para ir tentar uma solução para nosso problema. Pontualmente, no dia seguinte bem cedo chegou a nossa casa, "quase nos tirou da cama" por volta das sete da manhã.

Mostramos-lhe a porta, ficando ele mais ou menos meia hora diante da mesma, analisando como a modificaria para conseguir melhor claridade ao ambiente e ao mesmo tempo, surpreso pelo fato de nunca ter tido um trabalho tão inusitado como aquele ou seja, adaptar mais dois vidros na parte da "veneziana" de uma porta de marca tradicional. Em seguida informou-nos que iria retirar as duas partes móveis e levá-las para a execução dos serviços e, quanto às pequenas peças que iria precisar depois por ocasião da montagem, iria procurá-las na indústria fabricante, as quais, não se encontra no comércio revendedor das portas "Sassazaki". Depois de uma semana o "Toninho" retornou e montou novamente a porta já modificada, pronta para o vidraceiro assentar os vidros. Assim, a claridade da sala voltou e minha esposa ficou feliz da vida com a solução do problema. Depois ficamos seus fregueses e de vez em quando o Toninho nos prestava serviços de ferragens, como suportes para vasos de parede, molas de portas, fechos, etc.

O curioso é que enquanto trabalhava, tanto na desmontagem como na montagem final da porta, "Toninho" contava-me as passagens e peripécias de sua vida profissional ao longo de mais de trinta anos. Contou-me que desde muito jovem começara a trabalhar como aprendiz na Serralheria do Garcia. Com o tempo, criou coragem e resolveu estabelecer-se em sociedade com outro serralheiro e, alguns anos depois resolveu abrir individualmente sua atual Serralheria.

Toninho sempre foi muito criativo, desenhando e inovando tipos de grades, portões, janelas dos mais diversos tipos, sempre ao agrado dos clientes, fazendo aflorar sua imaginação fértil com os retalhos e sobras de materiais de sua serralheria. Ultimamente, já nem queria contratar serviços de grande monta e trabalhava só, atendendo as pequenas encomendas em serviços leves, daí, o motivo da plaquinha "volto logo" na porta quando saía para atender clientes fora, e sempre reclamava de sua hérnia, a qual requeria cirurgia.

Certo dia apareceu um antigo conhecido de nome Mario Lobó, com um desafio para o Toninho solucionar. Como sempre, Mario ia pescar e veranear no litoral sul, região de Iguape e Ilha Comprida. Cada vez que chegava ao rancho de pesca e ia preparar o tradicional churrasco, percebia que seus espetos estavam enferrujados, devido à forte maresia do local. Portanto, queria encomendar uma dúzia de espetos, que fossem de algum material que não enferrujasse e fosse de fácil limpeza, tendo em vista os efeitos da maresia. Foi aí que entrou a criatividade do Toninho, antes pedindo ao Mario que voltasse algum tempo depois, que iria dar um jeitinho. Saiu dias depois a visitar as madeireiras da cidade a procura de um tipo de madeira que fosse bem dura e resistente ao fogo. Encontrou numa delas, uma prancha de "araçá", madeira duríssima como ferro, muito forte mesmo, com as quais se faziam antigamente as cangas para carros de boi.

Depois de um mês trabalhando aquela madeira nos finais de semana, o Toninho conseguiu entregar ao Mario os doze espetos prometidos, todos bem torneados, os com cabos bem delineados, no capricho que lhe é peculiar. Seu amigo, muito surpreso pela solução de seu problema e livre dos espetos enferrujados, pagou-o satisfeitíssimo, lembrando do ditado que diz: "Em casa de ferreiro, espeto de pau".

MANHÃ DE CARNAVAL

Amanhece o dia. Satisfação pelo fim de mais um plantão no Pronto Socorro.

Cansaço por mais uma noite mal dormida. Pego meus livros, minha maleta e desço ao estacionamento. Manhã nublada. Uma fina camada de orvalho cobre meu carro. Com jatos d'água limpo o para-brisa e, ainda sonolento, só penso em um café quente, em minha cama e em meus lençóis. No caminho minha atenção é desviada por turbas de foliões fantasiados: alguns, alegremente andando, cantam nas calçadas; outros, recostados nas muradas, ou entre si, conversam ou adormeceram curtindo a ressaca de uma noite de alegrias, música, bebidas e orgias. Gritos, risos e o soar das cornetas dão-me agora a certeza de algo, que pelo arrebatamento do plantão ou pela estafa, eu havia esquecido: é manhã de carnaval. Pelo caminho, na avenida, restos de carros alegóricos abandonados colorem o asfalto negro e umedecido na madrugada da capital da garoa. Alegorias, confetes e serpentinas ensaiam um pálido brilho aos primeiros raios do sol que insistem em aparecer por entre as carrancudas e negras nuvens. O semáforo fecha. A luz do luminoso da Padaria no quarteirão da frente, onde de costume eu paro, se apaga. Encosto meu carro. O cheiro do pão fresco atiça o olfato e me desperta. Peço leite com pão e manteiga. Enquanto aguardo me servirem observo, no salão, numa mesa ao fundo, um folião, com cabelos desarrumados, olhar triste e uma amarrotada fantasia, apoiando sua cabeça por entre as mãos espalmadas e cotovelos plantados. Vi de longe que, por entre os seus olhos fundos e amargurados, deixava escapar lágrimas que, vez por outra, mergulhavam em seu fumegante copo de café com leite. Ao lado, ao seu alcance, uma taça de conhaque onde, no fundo, repousavam alguns coloridos confetes. Por mais que eu não quisesse, minha atenção se voltou àquela figura desolada naquela cálida manhã de carnaval. Olhei e reolhei-e aí sim quase não tive dúvida: Era o Valdir, meu colega de infância e juventude. A cadeira vazia ao seu lado era como que convite para que eu ali me sentasse.

Envergonhado pelas lágrimas que lhe borravam a maquiagem, que antes cuidadosamente fizera, com a gola do seu paletó de palhaço esfregou os olhos molhados o que fez pintar de grotesco o rosto daquele meu velho amigo. Um soluço repentino deixou sem querer escapar de suas mãos pedaços de uma fotografia rasgada que sobre a mesa se espalharam. Enchi-me de coragem, peguei meu café e fui até ele.

Já ao seu lado, seus olhos se levantaram e, por instantes, olharam no fundo dos meus.

Entendi como permissão para eu ali me sentar. Sua emoção aumentou pois de pronto senti que em mim reconheceu o velho amigo de outrora. Os pedaços rasgados e esparramados de uma linda mulher sobre a mesa lembravam o quebra-cabeças com que brincávamos em nossa infância: ele os olhava com ternura e carinho como se fossem pedaços de sua alma e de sua vida que ali estavam. Não tive dúvidas: era a dor de um grande amor desfeito que invadia seu coração. Num só gole sorveu o resto do conhaque que estava ao seu lado. Acendeu um cigarro e numa longa tragada fez a fumaça invadir fundo seu peito; pelos seus gestos senti que isto havia lhe anestesiado as entranhas. Para meu espanto e alegria levantou sua cabeça e aprumou seu corpo na cadeira. Vi no ar se misturarem sentimentos de ciúme, traição, amor e ódio. Com os olhos fixos nos pedaços que sobre a mesa repousavam, delicadamente ele os juntou e num discreto aceno fez-me ver a imagem da mulher amada. Com a tristeza estampada no rosto e, certamente com o coração partido, num valente gesto de despedida, curvou sua cabeça até a mesa e, com ternura, beijou o que restava daquela que, agora sei, tinha sido a mulher de sua vida. Levantou-se e, dando a volta por cima, como que a largando no abandono, deu-lhe as costas. Sem que tivéssemos trocado uma palavra sequer, agora sim na despedida, esboçou-me um leve sorriso. Balançou a cabeça como que me dando adeus e se foi.

Sobrou-me a companhia das cinzas de seu cigarro e os pedaços de sua alma que ali ficaram. Juntei-os. Guardei-os em meu bolso. Quem sabe, um dia, poderei devolvê-los ao Valdir. Já em minha casa, deitado sobre meus lençóis, pude rever, pois rapidamente passou por minha cabeça, todo sofrimento e emoção vividos naquela inesquecível, incrível e estonteante Manhã de Carnaval.

O ENTERRO DO BONIFÁCIO

Roseiras era uma cidade do interior da Bahia que recentemente havia galgado à condição de município. Coronel Macedo, latifundiário na região, pelo seu conhecimento com políticos da capital e pela sua influência na cidade foi eleito, quase que por unanimidade, prefeito daquela localidade que por estar no interior do sertão por muito poucos era conhecida. Quase todos na cidade, quando não eram seus parentes, dele dependiam direta ou indiretamente, pois pela imensidão de suas terras empregava muita gente. Na Câmara Municipal não existia oposição, pois os poucos vereadores também, quando não eram seus parentes, eram seus amigos. O Coronel mandava e desmandava e ninguém ousava se opor. Dona Santinha, sua mulher, conhecida na cidade pelo seu temperamento explosivo e pelo seu péssimo humor, mais parecia uma velha bruxa, pois além de gorda, bigoduda, berebenta e banguela sempre teve cabelos descuidados e ensebados que por serem compridos chegavam perto de sua volumosa bunda. Prefeito e Primeira Dama moravam numa enorme casa avarandada no fim da rua principal da cidade, fundos de uma de suas enormes fazendas de cacau. O Coronel tremia na base quando ouvia os berros da Santinha. Ela ordenava e ele obedecia; na realidade era ela quem mandava na cidade. Uma velha toalha pendurada atrás da porta da cozinha mostrava a todos quem mandava naquela casa e, como já disse, no município. Por pouca contrariedade a velha bruxa molhava a toalha no coxo dos animais, em frente da casa, e correndo atrás de quem fosse, com ela e com maestria chicoteava sem dó o corpo do infeliz. O Coronel mesmo, apesar de sua autoridade, por várias vezes foi visto correndo pelas ruas empoeiradas tendo atrás de si sua amada mulher toalhando-lhe as pernas. Apesar deste gênio maldito, seu amor pelos animais era desmedido: criava com todos os cuidados em sua casa, entre outros bichos, o cachorro Bonifácio e no quintal a mula Borboleta. Graças a esta sua inconteste dedicação, ela mesmo criou a SOROAPA, Sociedade Roseirense de Apôio e Proteção aos Animais, da qual, por não confiar em ninguém, era Presidente, Secretária e Tesoureira ao mesmo tempo. O Bonifácio, um pequeno cão vira-lata, resultado de um provável cruzamento de coisa ruim com porcaria nenhuma, era preto com uma mancha branca no olho direito e um rabo tão comprido quanto ele; por ser o preferido da primeira Dama , gozava de regalias na casa : almoçava e jantava na mesa e dormia na cama do casal; e coitado do Coronel se, de madrugada e por descuido, lhe tocasse com os pés; por inúmeras vezes acordou gritando de dor por uma dentada no calcanhar. Por acordar Santinha, a mesma irritada e possessa, invariavelmente lhe expulsava da cama fazendo-o dormir no quarto dos hóspedes. Pela enorme afeição que devotava ao bicho, Joaquim, funcionário da Prefeitura, fora, por decreto e por exigência de Santinha, nomeado para, em tempo integral, cuidar do Boninho, maneira carinhosa com que todos se referiam ao dito cujo cão. Dia sim, dia não, dava-lhe banho e escovava-lhe os dentes e os ralos pelos.

Diariamente zelava pelo seu bem-estar cuidando da sua alimentação e levando-o a passear pela manhã e à tarde. Carregava no bolso um rolo de papel higiênico para limpar-lhe as partes toda vez que parava num poste ou seu intestino funcionasse. Era um vida de Rei a qual todos os munícipes invejavam. Entretanto, por ser cruel, o destino não permitiu que a felicidade de Santinha fosse duradoura. Como tudo que é bom dura pouco, numa tórrida manhã de verão baiano chegou o fim do Bonifácio. Sem que ninguém ficasse sabendo o porquê, foi encontrado já duro, de pernas para cima, olhos arregalados e de língua para fora. A gritaria foi geral. Santinha, ao se dar conta da tragédia, aos berros, por inúmeras vezes desmaiou e sempre acordava quando lhe faziam cheirar amoníaco. O boato esparramou como um raio e num instante quase a cidade inteira correu à casa grande para prestar solidariedade e dar pêsames à Primeira Dama. Enquanto um funcionário do Velório Municipal corria à casa para tomar as medidas do Boninho, outros providenciavam caixões infantis que poderiam servir ao ilustre animal. Dona santinha, já de luto, exigia do marido que o velório do Boninho fosse feito no salão Nobre da Câmara Municipal. Coronel Macedo desistiu de contestar quando viu a velha arreganhar os dentes e babando ameaçou botar a mão na toalha atrás da porta da cozinha. A todos que na cerca da casa aguardavam o casal para os necessários "salamaleques" de praxe, Ramiro, Oficial de Gabinete do Prefeito e Chefe do Cerimonial, avisou que os apertos de mão e os tapinhas nas costas seriam dados no Salão Principal da Câmara Roseirense. Já no velório, Joaquim e os demais funcionários tinham dificuldade para acomodar o Boninho no caixão de jacarandá que havia, por ordem do Coronel, escolhido. A urna que era, a de todas, a mais cara e bonita, um pouco pequena, virou um problema : se colocassem o cão de lado, as pernas que estavam duras ficariam de fora e, se de barriga para cima, não conseguiriam fechá-la.

Enquanto pensavam numa solução para o trágico problema, Santinha, apoiada e amparada pelo Coronel, voltou a desmaiar e acordar cheirando agora naftalina pois o amoníaco acabara. Alguns, nos cantos comentavam, que as profundas cheiradas certamente lhe fariam bem à saúde. No velório, e num repente de lucidez, Joaquim encontrou a solução para o problema de conteúdo e continente que já deixava todos de cabelos em pé : retirou os estofados do encosto do caixão com o que conseguiu acomodar o Boni; a língua par fora ele a ampurrou para dentro porem os olhos arregalados não tiveram jeito : por mais que ele os fechasse eles insistentemente reabriam : resolveu deixá-los assim mesmo pois passaria a impressão que mesmo depois de morto ele ainda olhava Santinha com meiguice e carinho. Com perfumadas flores do cerrado enfeitaram a urna do ilustre falecido. Com o caixão debaixo do braço Joaquim saiu em disparada pela rua empoeirada seguido por um cortejo de curiosos. Pela presteza da edilidade o Salão Nobre da Câmara já estava preparado: flores e coroas com faixas enaltecendo o cão, e principalmente sua Dona, davam ao ambiente um ar surreal de subserviência e "puxa-saquismo". Enquanto no salão ao lado o Coronel e seus correligionários contavam piadas, Dona Santinha, debruçada no caixão e aos soluços, ordenava que pelos alto-falantes da cidade se convocassem todos os proprietários de cachorros para que no fim da tarde viessem com os seus ditos-cujos em suas coleiras e guias participar do cortejo fúnebre. Na porta do salão uma fila, que por duas vezes dava volta no quarteirão para que entrando um por vez pudessem, ao falecido, e sob os olhares de Santinha, dar o último adeus. Por volta das 4 da tarde, notaram que o morto já estava inchando, motivo pelo qual os funcionários do velório resolveram antecipar o sepultamento antes marcado para 17 horas. Com muito choro, e novas ameaças de desmaio, a Primeira Dama com um olho no cão e outro na naftalina, autorizou o fechamento da urna, que logo foi colocada numa carroça toda florida puxada evidentemente pela mula Borboleta, sua amiga inseparável em vida. Coronel Macedo, trajando seu surrado e empoeirado terno de linho branco, acompanhado pela carrancuda viúva do cão vestindo seu inseparável e amassado vestido longo e preto, conduzia o enfeitado veículo. Já no cortejo, a edilidade representando o Poder Legislativo, a população com seus cães e um corneteiro da Prefeitura arranhando a marcha fúnebre, seguiram até o cemitério da cidade onde, após os discursos e sob os aplausos de todos o nobre cão foi sepultado no jazigo da família. Na lápide escreveram : Aqui jaz um cão que foi e sempre será o amor e a vida de nossa família. A Primeira dama daí em diante passou a viver sob forte depressão e de dia e de noite perambulava como uma velha ostra pela casa grande.

Por muitos anos em Roseiras não havia dia em que não se comentava a pompa do funeral e a tristeza de Santinha no Enterro do Bonifácio.

SONHOS

Sonhos que vivi na vida
Sonhos que sonhei calado

Sonhos que acalentam a alma
Sonhos que dão vida à vida

De sonhos coloridos vagas lembranças
São sonhos que encantam quando sonhados
Dos sonhos negros com pesadelos pesados
São sonhos que assombram quando sonhados

Sonhos que reascendem ilusões reprimidas
Sonhos que no inconsciente vagueiam
Sonhos que tornam doce uma noite vivida

Tristeza pelos sonhos sonhados e não vividos
Alegria, no alvorecer, pelos sonhos não esquecidos
Doce despertar de uma noite de paz

"A PRIMEIRA POESIA"

Eu ainda não escrevia quando ela chegou
Era um dia de vento, e sem querer fiquei quieto
Então eu vi as árvores perdendo seus cabelos
Mirei meus olhos pelas grades de ferro da minha casa
As folhas caindo já não era mais folhas eram crianças
Correndo pela rua do vento, até se deitarem na minha rua
A chuva tinha acabado de chorar e a gota demorou a cair
Do chapéu da minha casa, que antes era telhado
Enquanto a gota caia eu sem querer fiquei quieto
E dentro da gota eu vi uma menina sorrir um sorriso de vida
O vento depois ficou assoviando meio moleque, disfarçando
A arte de fazer arte diante de meus olhos ainda menino
Eu tinha 6 anos quando fiquei quieto sem querer
E sem papel,e lápis
Eu escrevi na minha quietude
Minha primeira poesia.

"EU VEJO"

Eu vejo na fogueira do meu coração faíscas de flores em chamas beijando a noites das estrelas
Atravesso dentro de mim mesmo um campo de tantos mundos e sinto o gosto de cada lágrima de cada grito
Meus pés caminham em uma estrada de pedras e o sangue deixa pelo meu caminho o renascimento do mar
Dentro da minha casa um vento arteiro dança entre as folhas que sorriem para meu olhar quieto
Eu vejo dentro das arvores, além das nuvens, e vejo velhas senhoras perdendo suas vestes no inverno
Enquanto homens feras caminham de cabeça baixa por cidades mortas, eu paro e deixo a lágrima das nuvens beijarem minha boca
Mesmo no meu quarto escuro eu sinto o vento das asas de um beija flor e seu coração batendo em minhas mãos
As letras saltam diante de mim e eu apaixonadamente, desesperadamente as toco com a ponta dos dedos
E elas se deixam tocar e tremem de prazer e êxtase até que se tornam o sangue e água do meu corpo
Meu coração queima ao avistar cada cheiro e sabor do mundo que o meu mundo se atreve a fazer amor
Eu vejo!

"SORRINDO NA MATRIX"

Mesmo que o mundo tenha ferido todas as suas canções
Dance a música mais linda, cante a canção do seu olhar
Tire da sua alma o vestido de todas as cores dance, e dance
Fique e dance perto das estrelas mais quietas do céu negro
Sorria até seu coração correr sua canção de flores e sol
A chuva vai cair, mas abra suas asas para voar e sonhar
Pois um sonho pode fazer o dia mais cheio de primavera
Um passarinho chegou bem perto da sua boca cantou
Que o vento contou que dias sem coração não são dias
A primeira página do livro é só uma gota do céu, no caminho
E na matrix sem coração sorrir com os olhos é beijar a vida
Mais um pouco de sorriso na panela desse mundo sem sorriso
As nuvens do céu ensinam que às vezes é bom chorar
Mas correr pela chuva e brincar de sorrir é melhor ainda
Dance, nesse mundo quieto, cante sua canção
Coloque seu vestido de todas as cores nesse lugar sem cor
E se atreva a cantar
A sorrir.

"PORQUE O MUNDO ESTÁ TÃO TRISTE?

Pois é, o mundo está tão triste
Nossos corpos se arrastam pelo sangue
De todos aqueles que chamamos de oponente
Nossos lábios te medo de rir alto, nesse mundo sem riso
Uma voz baixa diz; Cuidado!O que é que vão pensar?
Pois é, o mundo está tão triste
Nossas pernas sem força pelo concreto
Nosso cheiro se mistura com o cheiro do medo
Aquele medo de perder a algema em nosso pés
Uma voz baixa diz: Cuidado!O que é que vão pensar?
Pois é, o mundo anda tão triste
Como naquela Alemanha que mastigou carne humana
Aonde o ódio se tornou uma bandeira de sangue e dor
E os olhos miravam para sombras da caverna
Uma voz baixa diz: Cuidado!O que é que vão pensar?
Pois é, o mundo está tão triste
Nos se tornamos as coisas de nossas coisas
A morte é carta não lida, e a felicidade uma obrigação
Engole o choro seja profissional, não queira, não!
Uma voz baixa diz: Cuidado!O que é que vão pensar?
Pois é, o mundo está tão triste
A dor é tanta, que se tira a própria vida
Uma geração drogada desde berço
Para chorar e rir no relógio cruel do rei cruel
Uma voz baixa diz: Cuidado!O que é que vão pensar?
Então este poema nesse mundo triste
Com todas as forças dos seus nervos. Da uma gargalhada e diz:
Que se foda o que vão pensar!

"MEIO QUIETO"

Meio sem querer fiquei quieto
Na minha quietude escutei
Fiz carinho na lágrima do meu peito
A gota nos meus lábios eu beijei
Na minha noite cantei sozinho
Tem um mar no meu coração
Às vezes o barco quieto vai navegar
O sorriso de novembro foi canção
De todos os silêncios que dançam
Escolhi o sorriso da lágrima para dançar
Ou a tal poesia me escolheu na rua
Da rua escrevi poesias do meu amar
Vestida de vento chegou à gota
Das lágrimas das nuvens ao meio dia
Fiquei quieto, mas meu silêncio faz barulho no mundo
Na quietude do meu coração apertado, canta minha poesia.

"NÃO TIRE SUA VIDA"

Não acredite que só exista este quarto escuro
A vida não é só está tempestade, o sol vai nascer pela manhã
Não tenha medo de colocar as mãos no seu coração
Mas que a dor que sente existe a batida do seu peito
Não faça isso, as lágrimas podem aprender a sorrir
Não use está corda para deixar o dia triste
Seu sorriso é tão importante para mundo
Não tome isso, não se perca na dor
Além das nuvens escuras existem estrelas de amor
O seu respirar é tão lindo, é tão cheio de poesia
Que a poesia da vida quer escrever seus olhos
Pare!Não faça isso!Respire fundo!Escute as batidas
As batidas do coração é a canção mais linda do mundo
Olá!
Fique aqui nestas linhas
Aqui nessa casa de poesia
Nesta declaração de amor

"PELA CIDADE"

A cidade leva um coração por avenidas tão frias
Às vezes é tão lindo caminhar dentro de outro olhar
No meio da fumaça e buzinas os lábios lembra-se de sorrir
A tempestade tem um coração que escreve seu cantar
Toda a vez que os olhos se fecham no quarto escuro
Uma lágrima toda passarinho voa até as estrelas levando o mar
A voz das canções mais lindas ficam assoviando pelo caminho
Os lábios sorriem, os olhos brilham, vento para navegar
As janelas se abrem e não é para o vento partir
Tem um vento louco pintando com flores o amor
Respire bem fundo, escute o mar contando histórias
No meio das pedras a vida se atreve fazer nascer uma flor
Às vezes uma lágrima pode sorrir antes de ir embora
Pelo mundo escuro um menino canta sua canção
A cidade não pode pedir silêncio para um coração em festa
A voz pode calar, os olhos podem fechar, mas fica o coração.

"POEMA COM CARINHO"

Uma cama de coração para o coração sonecar
O café navega no vento que entra pela janela
Enquanto o chocolate beija os lábios e se perde
Em poemas tirados depois de todas as batidas do peito
Ninguém percebeu que cerejeira se atreveu a florescer
Em uma terra que nem era dela, mas dela se tornou
Um cantador solitário teve seus dias de um amor de verdade
Os anos se vão e se vão às noites de estrelas e sonhos lindos
Na rua do meu diário a menina de flores ainda sorri sua paz
Chega uma fogueira de estrelas em olhos cheios de mar
Dançam com os apaches a festa de todas as vozes da terra
Deixem o pneu rodar na direção de pés tão meninos
Se tiver que carregar algo na mala carregue o primeiro beijo
Um dia um ave de aço deixou a morte cair nos ossos no sangue
Os sinos fazem amor com o silêncio e o mar canta sua canção
Senta aqui na beirada da cama e sinta o cafuné da poesia
Feche os olhos
Psiu.

"A MENINA DO BALANÇO"

Do alto do meu coração eu vejo uma menina no balanço
Ali, enquanto a corrente se retorce como corpos que sofrem
Meus olhos pelo dela assistem as folhas dançando pelo chão
E chega o sol e seu calor chega deixando toda boca seca
A menina fica ali olhando além do que tudo que foi visto
Sopra um vento gelado e o céu está calado e quieto
Suas pernas se esticam dando movimento as correntes
Até que as estrelas se vão e os raios gritam trovões
Todos os tempos do mundo passam pelos seus olhos
Seus olhos ainda meninas continuam as sorrir nas estrelas
De manhã no primeiro bocejar dos raios de luz
A menina assistiu o beija flor diante de si com o coração louco
Os dias se passam e as asas batem na velocidade do desejo
Mas antes da noite chegar o beija flor chega já cansado
Suas asas estão mais desgastadas e seu coração mais calmo
Então no inverno mais frio ele cai no chão branco
E o chão beija o sangue que escorre do resto da sua vida
Pela primeira vez a menina não balança e chega a lágrima
O olhar viu que o silêncio era uma das canções da morte
Mas logo chega outro beija flor, ainda mais belo e mais forte
A chuva cai e depois de o céu parar de chorar o tempo
O chão fica cheio de poças, estes espelhos da verdade
A menina então estica a cabeça todo curiosa e olha
Sua face no espelho das lágrimas do céu sua face
Seus cabelos já estão brancos, e sua pele enrugada
Seu vestido de flores já está velho e as pétalas secas

A menina já não é menina e quando soube era velha
Ah!Mas seus olhos ainda são menina e sente um riso
E eu vejo nos seus olhos minha face e não sou mais menino
Meus cabelos já estão brancos, meus olhos ainda menino
A menina vai perdendo as forças e suas mãos caem
Seu corpo cai no chão mais ela ainda sorri
Seu coração se apaga como uma vela que deixa a noite
Meu riso menino ri dos meus cabelos brancos e chora
Um dia vamos deixar nossa mãos caírem
Mas mesmo que assim o seja
Vamos balançar por todas as asas dos beija flores
E não se esquecer de dar um riso
Vocês tem um riso?

"AS IMORTAIS"

Salve as canções imortais de todas as partes do mundo
Estas jovens de cabelos brancos que colhem lágrimas e risos
Na rua que não cantava, canta Cartola a hora da partida
A boca de sangue de Chet Baker beija o coração e a alma
Elza Soares cantou e o vento tremeu todo de emoção
O mar ficou quieto para deixar Dorival Caymmi cantar
Um dia cantei pela menina de vestido de flores, por amor
E a canção que fugiu de mim foi tão linda na chuva
Não sei se coração bateu por poesia, ou por saudade dela
Tem tempos que a lágrima também pode ser de riso
Eu só queria ser namorado de dias melhores que ontem
Mas sei também que ontem teve dias que jamais terão melhores
Lembro que um dia fechei os olhos, e meu lábio virou rei
Cheio de uma boca tão verão que o inverno ficou quente
Menina fique sabendo que poesia não pode ficar presa
Então não tenha medo do medo que os homens têm
Olá canções tristes podem entrar vocês também são vida
Na minha casa de chão se pode beber até ser poema
Pois cair de poemas é cair para tocar o céu
Poema e canções não estão nem aí do que pensam delas
Os poemas jogam bola e as canções sobem em arvores
E sabem brincar com Quixote até anoitecer
Salve as canções imortais
Salve canção do meu peito
Canção que salva
Salva o poema
Escuta!
Teu coração está cantando um poema Escuta!

LUIZ ROSSI, COMPANHEIRO ROTARIANO

Em um dia qualquer, na década de 90, ao sair do elevador no segundo andar da Prefeitura Municipal de Marília, Benjamim encontra o amigo Luiz Rossi. Naquele dia, interrompeu seu trajeto, convidou-o para um café, na pequena cozinha do mesmo andar, e pediu para o amigo dar uma olhada em um de seus bilhetes, que adorava escrever, sigilosamente. Ao ler, Benjamim nota, em seus escritos, as rimas, que se destacavam com certa frequência; então, solicitou ao amigo Rossi a permissão para levá-los para uma análise.

Nesse momento, seus olhos brilharam de felicidade.

Após a análise, Benjamim marcou um café no mesmo local e disse estar diante de um poeta. Apresentou a justificativa por escrito. Rossi leu atentamente e, emocionado, disse não acreditar que alguém poderia um dia se interessar pelos seus bilhetes.

Rossi ficou empolgado e o levou até seu escritório para apresentar outros textos,"verdadeiras crônicas", nas quais revelava suas angústias, além de encantamentos por motivos sociais, políticos e administrativos.

Nas despedidas, sempre acompanhava, e, no caminho, cumprimentava todos os funcionários com muito carinho. As meninas da limpeza eram suas fãs preferidas.

Dispensava uma atenção singular a todos, sem distinção de função ou de classe social.

Adorava ser chamado de "Seu" Luiz Rossi.

Ocupou quase todas as funções de secretarias; foi vereador, presidente da Câmara, e serviu também as autarquias. Mas sua alegria maior foi o lançamento do Livro *Nosso Tempo*, no qual pôde dedicar poesias para sua amada esposa Vilma: O Pé de Flor, E a Minha Rosa, eram suas poesias preferidas. Confessou, certa vez, após declamar uma poesiaem festivas no Rotary Clube de Marília Leste: "minha esposa é como um belo e esplendoroso jardim na minha vida". Outra agradável experiência que Benjamim tem na memória, foi quando Rossi convidou Vilma para participar da Coletânea do distrito 4510 do Rotary. O Livro *Caçador de Poetas* foi outro momento de muita felicidade e emoção; parecia um menino encantado com suas novas descobertas.

Um dia que ficará guardado entre amigos foi quando Rossi se emocionou muitas vezes na noite de lançamento do seu livro solo De Luxento a Caipira. Na livraria de Benjamim, era notório o carinho ao autografar seu livro para os presentes. Muitas pessoas especiais passaram na livraria naquela noite. No final, ele disse, carinhosamente: — Obrigado, Benjamim, por me fazer escritor e proporcionar esta noite tão especial, meu amigo escritor.

Começou a escrever a segunda edição, sempre na companhia de Benjamim.

Nas reuniões do Rotary, dizia:

— Quero que você leia e dê sua opinião.

Porém seu processo de criação foi interrompido e ficou no meio do caminho... Levou consigo muitas histórias, segredos, lembranças, sonhos e memórias.

Um dia, Benjamim pergunta:

— Rossi, qual sua filosofia de vida?

E ele diz, carinhosamente:

— Benjamim, eu não sou ambicioso, tenho uma esposa que amo, uma linda filha, uma família maravilhosa. Sofro muito com as injustiças e com a ganância das pessoas. Penso que os políticos podiam fazer muito mais e melhor, seria tão mais fácil, as pessoas teriam muito mais qualidade de vida. Bom, minha filosofia de vida é ver um país mais justo, mais solidário, e tudo que faço é administrar o dinheiro público da melhor maneira possível, com muita honestidade. A minha maior riqueza, meu caro amigo Benjamim, é o carinho e a confiança de todas as pessoas.

Ficam aqui muitas lembranças e ensinamentos de honestidade, carinho, dedicação, simplicidade. Sem saber. Luiz Rossi já vivia a "modernidade líquida" na sua leve e longa trajetória...

Mário Milani. Maravilhosa trajetória no Rotary Marília Leste.
Homenagem ao meu amigo e companheiro Luiz Rossi *(in memoriam).*

A verdadeira amizade é aquela que nos permite falar, ao amigo, de todos os seus defeitos e de todas as nossas qualidades.

Millôr Fernandes

DOMINGOS VIGGIANI, COMPANHEIRO ROTARIANO...

O mundo coloca, diante de nós, pedras preciosas. Domingos Viggiani foi uma delas; foi ele também que ensinou, na sua trajetória de professor, o segredo para assimilar cada uma das pedras colocadas em nosso caminho. Passou pela vida semeando sabedoria, conhecimento e vontade de viver. Doutor em Matemática e Estatística, publicou seis livros.

Foi professor titular da UNESP, Campus de Marília, em regime de dedicação integral à docência e à pesquisa. Benjamim passou a conviver com Domingos Viggiani no Rotary.

Homem de alta inteligência e impecável cultura, com todo seu talento de educador, vibrava com os projetos nacionais e internacionais do Rotary; no Clube Marília Leste, onde foi sócio por mais de 40 anos; sua dedicação era plena. Sempre ressaltava a importância de viver o lema "dar de si antes de pensar em si". Foi presidente do Clube e, como governador, fez sua história no distrito 4510. Destacava-se sempre, com seus discursos emocionados, sem perder seu mais alto espírito de solidariedade humana. Era presença garantida nas mesas diretoras dos Seminários e das Conferências Distritais. Fazedor de amigos, era figura serena nas noites calmas e nas ocasiões festivas nos clubes de serviços.

Orador, admirado por falar com talento e com o coração, estimulou, com coragem, os novos presidentes; sabia saudar, como ninguém, um novo companheiro; emocionava, com palavras carinhosas, os cônjuges nas noites festivas. Sempre estava com sua inseparável filha, Olga. Era possível perceber, no olhar da bela moça, a admiração e o cuidado com seu querido pai. Seu capricho de homem e pai educado, fino, elegante, fazia com que puxasse a cadeira para a filha, demonstrando seu lado humano e cordial. Era notório o grande amor de pai e filha.

Benjamim guarda boas recordações do saudoso amigo. Nos encontros semanais nas reuniões do clube, dizia: "Hoje, me lembrei de você, Benjamim. Estou lendo, de novo, Machado de Assis".

Ora, eu ficava todo vaidoso quando dirigia seus elogios entre amigos, em tom de brincadeira, dizendo ser eu o poeta do clube e o homem defensor das águas. Foi em uma dessas brincadeiras que o convidei para prefaciar meu livro, *Uma Pedra no Caminho*. Ele aceitou de imediato. Quando me entregou o texto, eu lhe disse:

— Você não leu, você estudou o livro, tamanha a dedicação à obra.

Como se não bastasse, ainda apresentou Enzo Del Carratore para prefaciar o meu outro livro, *Fazenda do Estado*, por uma razão — e bela coincidência—: ambos foram proprietários de sítio na Fazenda do Estado. Não posso relacionar, nesse pequeno extrato, as inúmeras aventuras culturais que vivemos juntos.

O paleontólogo William Nava foi o último felizardo a receber, das mãos de Domingos Viggiani, a menção que levava seu merecido nome, honraria dedicada, anualmente, a pessoas de destaque, pelas descobertas e pelos relevantes serviços prestados à comunidade. O maior líder de todos os tempos será sempre lembrado por coisas simples, porém imprescindíveis, pois é na simplicidade que se encontram as grandes amizades e a fé no outro.

Mário Milani. Uma legião de amigos conquistados no distrito 4510
Homenagem ao meu amigo e companheiro Domingos Viggiani (in memoriam).

BENJAMIM FALA DA ÁGUA!

Água que cai do céu / vem molhar o chão / brotar a semente / para fazer nosso pão

Água que viu nascer / faz me crescer / agora estou aqui / quero te proteger

Nascente lá dos montes / que desce pela serra / não quero que sejas / motivo de guerra

Chuva que cai do céu / na terra vem correr / do rio vai para o mar

Água que cai do céu / vem molhar as flores / vou pegar uma para meu amor.

Mário Milani
Crônicas que brotaram da alma, primavera 2017.

BENJAMIM, FALA DA VIOLÊNCIA!

O menino mora no morro / quando desce o morro / morre de medo
Já viu de tudo / mas tudo é segredo
Antes era à noite / agora é todo dia / final de semana / violência urbana
Essa diferença social / está fazendo mal / para nós, aqui no morro
Antes era a favela /agora é a cidade / que pede socorro
Precisamos de tão pouco / estudar / trabalhar / e atenção...

Mário Milani
Olhar da praia para o morro, ano 2000.

BENJAMIM FALA DO AMOR!

Viver sem amor / é como a primavera sem as flores
É a noite sem as estrelas / a lua sem luar...
É o mar sem as ondas / sem areia / sem o sol...
É passar pela vida e não conhecer o olhar / da mulher amada...

Mário Milani
Ano 2011.

BENJAMIM FALA DO COMÉRCIO!

É um lugar abençoado, onde as pessoas que trabalham contam com seu sustento / é o grão do trigo moído, que faz e vende o pão de cada dia / é um lugar onde as pessoas trabalham sorrindo, demonstrando sua alma de prazer e servir / lugar abençoado, com asmercadorias que entram e saem / com o mesmo cuidado que a natureza criou / lugar onde o dono e os colaboradores vivem intensamente a fantástica vida comercial...

Mário Milani
Paraninfo do Senai 2010

BENJAMIM FALA DA VIDA!

A vida é como o amanhecer de céu azul / o pôr do sol e o escurecer / descansa o bom sono aquele que trabalhou com amor / novo amanhecer sem sol / chuva até o escurecer / dorme triste aquele que trabalhou com desgosto. / A mulher é abençoada ao gerar a vida que sorri nos braços / o pai tem um tesouro para brincar e sonhar/ a família é como a alvorada cheia de fé e amor / vem como a primavera que prepara os frutos do amanhã.

BENJAMIM FALA DA EMPRESA!

A empresa é como a imagem daquela mãe que amamenta o filho com amor / é como o estudante que sabe abraçar e respeitar o professor, segura nas mãos o canudo do sonho de viver o presente / como um pintor famoso que deixa, em suas pinceladas, o encanto da sua arte, sua assinatura faz da imagem refletida na superfície plana da tela, seu logo / o futuro da empresa está na ação de cada colaborador, o sucesso está no cuidado sensível e dedicado do protagonista de todos os dias / aquele que aprender dar a César o que é de César não terá problemas com o fisco e prosperará / aquele que não obedecer aos rigores da lei do seu país será rebaixado / diferente daquele dono que cumprimenta o jardineiro que cuida das flores na entrada da empresa.

Mário Milani
Congresso Samsung Morumbi. 2014.

CACHOEIRA

AS ÁGUAS AVANÇAM COM CALMA,
A PAISAGEM SE REFLETE NO ESPELHO.
NÃO PERTURBA O SILÊNCIO DA ALMA,
O SOL POENTE TINGE TUDO DE VERMELHO.
MAS DE REPENTE
TUDO SE MODIFICA
FEITO UMASERPENTE,
ALI NADA FICA.
O RIO TRANQUILO
DESPENCA DO ALTO,
NADA DETÉM AQUILO.
É UM LINDO SALTO
SOA COMO TROVÕES,
O SILÊNCIO SE VAI,
ONDAS EM BORBOTÕES.
É A CACHOEIRA QUE CAI.
NOVAMENTE RETORNA O LEITO DO RIO À TRANQUILIDADE
ÁGUAS MANSAS, SEM NENHUMA PRESSA, RIO SERENO
SERÁ QUE ESSA BALBÚRDIA TODA FOI A REALIDADE
OU TUDO NÃO PASSOU DE UM PESADELO TERRENO?

Brincar com as palavras, desenhar com as letras, um livre exercício da imaginação. Seas palavras possuem cores, odores e sabores, por que não brincar com as formas? É a geometria das palavras, é a matemática das letras e a plasticidade da poesia. (25/12/2015)

FÉ

Em oração
Pedir, sim
em devoção
Aos anjos
Aos santos
Ao Senhor
Com a fé
Somos pecadores, nos ajoelhamos,
Pedindo perdão pelas faltas, mãos postas,
Confiando na misericórdia divina
Só Deus
B o n d o s o,
Compassivo,
Nosso Pai
A perdoar
E n te n d er
A fraqueza
Da alma
A implorar
Seu perdão
A r r e p e n d o
Nunca mais
Estar errado
Nunca seremos santos
Nem esperamos muito,
Somente seu perdão,
Aceitamos o suplício.
AMÉM!

23/12/2015

REFERÊNCIAS

Mão inglesa mão inglesa mão inglesa mão inglesa mão inglesa mão

Mão
Mão inglesa mão inglesa mão inglesa Mão inglesa
Mão

Mão inglesa mão inglesa mão inglesa mão inglesa mão inglesa mão

Mão
Mão inglesa mão inglesa mão inglesa mão
Mão

Mão inglesa mão inglesa mão inglesa mão inglesa mão inglesa mão

MÃO INGLESA

Mão francesa mão francesa mão francesa mão francesa
Mão francesa mão francesa mão francesa mão francesa
Mão   francesa
Mão   francesa
Mão   francesa
Mão   francesa
Mão   francesa
Mão   francesa
Mão   francesa
Mão   francesa
Mão francesa
Mão fran
Mão fr
Mão
Mão
Mão

MÃO FRANCESA

TÚNEL

```
[[[[[[[[[[[[[[[[[[[[[[[[[[[[[[[[[[[[[[[[[[[[[[]]]]]] ]]]]]]]]]]]]]]]]]]]]]]]]]]]]]]]]
[[[[TÚNELTÚUNELTÚNELTÚNELTÚNELTÚNELTÚNEL]]]]
[[[[[[[[[[[TÚNELTÚNELTÚNELTÚNELTÚNELTÚNEL ]]]]]]]]]
[[[[[[[[[[[[[[[[[TÚNELTÚNELTÚNELTÚNELTÚNEL]]]]]]]]]]]]]]
[[[[[[[[[[[[[[[[[[[[[[[TÚNELTÚNELTÚNELTÚNEL]]]]]]]]]]]]]]]]]]]
[[[[[[[[[[[[[[[[[[[[[[[[[[[[[TÚNELTÚNELTÚNEL ]]]]]]]]]]]]]]]]]]]]]]]
[[[[[[[[[[[[[[[[[[[[[[[[[[[[[[[[[[[TÚNELTÚNEL]]]]]]]]]]]]]]]]]]]]]]]]]]]
[[[[[[[[[[[[[[[[[[[[[[[[[[[[[[[[[[[[[[[[[TÚNEL]]]]]]]]]]]]]]]]]]]]]]]]]]]]]]]
[[[[[[[[[[[[[[[[[[[[[[[[[[[[[[[[[[[[[[[[[          ]]]]]]]]]]]]]]]]]]]]]]]]]]]]]]]
[[[[[[[[[[[[[[[[[[[[[[[[[[[[[[[[[[[[[[[[[          ]]]]]]]]]]]]]]]]]]]]]]]]]]]]]]]
[[[[[[[[[[[[[[[[[[[[[[[[[[[[[[[[[[[[[[[[[          ]]]]]]]]]]]]]]]]]]]]]]]]]]]]]]]
[[[[[[[[[[[[[[[[[[[[[[[[[[[[[[[[[[[[[[[[[          ]]]]]]]]]]]]]]]]]]]]]]]]]]]]]]]
[[[[[[[[[[[[[[[[[[[[[[[[[[[[[[[[[[[[[[[[[          ]]]]]]]]]]]]]]]]]]]]]]]]]]]]]]]
[[[[[[[[[[[[[[[[[[[[[[[[[[[[[[[[[[[[[[[[[          ]]]]]]]]]]]]]]]]]]]]]]]]]]]]]]]
[[[[[[[[[[[[[[[[[[[[[[[[[[[[[[[[[[[[[[[[[TÚNEL]]]]]]]]]]]]]]]]]]]]]]]]]]]]]]]
[[[[[[[[[[[[[[[[[[[[[[[[[[[[[[[[[[[TÚNELTÚNEL]]]]]]]]]]]]]]]]]]]]]]]]]]]
[[[[[[[[[[[[[[[[[[[[[[[[[[[[[TÚNELTÚNELTÚNEL ]]]]]]]]]]]]]]]]]]]]]]]
[[[[[[[[[[[[[[[[[[[[[[[TÚENLTÚNELTÚNELTÚNEL]]]]]]]]]]]]]]]]]]]
[[[[[[[[[[[[[[[[[TÚNELTÚNELTÚNELTÚNELTÚNEL]]]]]]]]]]]]]]
[[[[[[[[[[[TÚNELTÚNELTÚNELTÚNELTÚNELTÚNEL ]]]]]]]]]
[[[[TÚNELTÚNELTÚNELTÚNELTÚNELTÚNELTÚNEL]]]]]
[[[[[[[[[[[[[[[[[[[[[[[[[[[[[[[[[[[[[[[[[[[[[[[[[[[[]]]]]]]]]]]]]]]]]]]]]]]]]]]]]]]]]]]]
```

SONETO I

Minh'alma, revolta qual brava corrente
Aquieta-se quando em tua companhia.
E ao turbilhão que assola minha mente
Vens trazer de novo a calmaria.
E como a Lua que coroa o Firmamento
Me elevas, impulsionas, iluminas
E me livras, em um só momento
Da solidão e penumbra, tristes sinas.
Mas não me pertence a luz que reflito
Do fulgor de tuas virtudes tão altas
Nem pretendo igualá-la, nem cogito
Com seu brilho ofuscar as minhas faltas.
Luz essa que merece adoração:
Me enche não os olhos, mas o coração.

SONETO DE QUEM TEM MEDO

O medo apodrece o gosto da amora
Vê-la esmagada antes da própria queda
E quando de fato está no chão, chora i
Prendeu-se em seu fiel fio de sedaii

Os lúcidos pregam sua lisura:
"É cura contra a fruta envenenada! " iii
Mal sabem que o receio é facínora
Faz de quem crê sua eterna morada

Porém, se ele carregar a verdade
E o amor doer no suor do verão
Amarei inconsequente e com alarde

Pois sei que no ano há mais de uma estação
O gélido entorpece aquilo que arde
Quem devaneia, afinal, está são.

i Referência à mitologia grega: Pyramus e Thisbe
ii Referência à mitologia greco-romana: Moiras/Parcas
iii Referência à Adão e Éva.

OS AUTORES DE NOSSA VIDA.

Escritor, é um tipo de gente.
Um pouco diferente.
Totalmente irreverente.
Maravilhosamente surpreendente.
São atores:
Choram amor.
Riem de raiva.
Vivem vidas que não viveram.
São professores:
Ensinam.
Passam informações.
Aconselham em suas mais amargas dúvidas.
São médicos:
Salvam vidas.
Curam toda tristeza.
Receitam um bocado de felicidade.
São músicos:
Dão a letra.
Descrevem a tênue melodia.
Criam diferentes e inúmeros ritmos.
São inventores:
De amores.
Sabores.
Cores.
São autores de suas próprias vidas,
Do seu próprio roteiro.
Das suas crônicas.
De seus contos, de verdade.
São pessoais reais.
Leais.
Racionais.
São pessoas, como eu, como você.

FLOR DO AGRESTE

Vou lhe contar à história
De uma mulher arretada
Dona de sabedoria
E de alma abonitada
Apois! Pense numa lindeza
Ela é pura delicadeza
Da cabeça ao mocotó
Oxe!
Mesmo dentro do seu ventre
Já tinha plena certeza
De sua infinita beleza
E com o meu nascimento
Tive a honra de te ver
Então tive um encantamento
Com seu modo de me acolher
Ela não é de aturar
Cabra véi amostrado
Muito menos de adular
Filho de nariz empinado
Foi criando sua filharada
Na base da educação
Usando um tiquim assim de sua bravura
Com um tantão assim de sua doçura
Como forma de orientação
Sendo sempre clara no seu falar:
-"Marminino, se aprume"
Para nos aconselhar
Professora da vida
Mesmo com pouco estudo
Com as péias dessa vida
Mãe de tudo suportou
Mas foi vivendo
Que aprendeu e ensinou
Na vida ela vigorou
Cresceu e batalhou
Teve toda coragem
De ser flor do agreste
Quando o chão era de pedras
No sertão do Nordeste
Mas é de hoje que mainha

Nunca foi de ladainha
Sempre foi de pelejar
E quando passava aperreio
Cruzava os seus dois joelhos
E se danava a rezar
Doía quando lhe pedia o de comer
E ela não tinha o que dar
Mas, sem custar
Logo arrumava um jeito
De nos alimentar
Com o tempo foi lhe aparecendo
Traços do envelhecimento
Sinais de sua vida humilde
As rugas refletiam em mainha
A sua coragem de enfrentar o
mundo
Para ser uma rainha
Acredito que exista um jardim de
mães
Onde todas são sorteadas ao acaso
Para ir florescer em cada vaso
Se eu tivesse o dom de escolher
Ainda assim a escolheria
Pois no meio de tanta mainha
Ela seria a minha preferida.

E AGORA, MARIA?

Que alguém te estuprou,
Que alguém te julgou,
Que ele te bateu,
Que ele te ofendeu,
E agora, Maria?
E agora, Mulher?
Você que é forte,
Que dá a luz,
Você que batalha,
Que ama, se cala?
E agora, Maria?
Está sem marido
Está sem justiça
Batom vermelho não
pode,
Short curto? jamais!
Mãe solteira não pode!
Sua tia também apanhou,
Assédio não é galanteio,
Te difamam sem freio,
Te deixam em desnorteio
De injustiça o mundo
está cheio!

Não veio a coragem,
E você se cobriu,
Você se encolheu,
Você não sorriu,

E agora, Maria?

E agora, Maria?

Sua gentileza,
Sua vaidade,
Seu medo e coragem,
Sua dignidade,
Seu vestido de vidro,
Sua exclusão,
Sua persistência – e
agora?

Não desista não,
Muitas morreram,
Mas você suporta,
Não vai morrer sem
tentar,
Sua razão se edificou,
Que tenha fim a
misoginia,

Cadê os direitos iguais?
Maria, e agora?

Se você chorasse
Se você corresse
Se você falasse,
Se soubessem como se
sente,

Se você sumisse,
Se você cuspisse
Se você morresse...
Mas você faz a diferença,
Você é forte, Maria!

Sozinha na rua
Olhando para o lado,
Sem estar acompanhada,
Sem polícia a vista
De dia ou de noite
Você anda com medo,
De estupro, de roubo,
Fragilizada, Maria!
Maria, até quando?

A FESTA

Vida longa à hipocrisia
Onde o bandido pode
E o humilde sofre!
Vida longa à súplica
Silenciosa dos olhos
De um inocente!
Celebremos o ódio
Completamente justificável
Pelo amor à religião.
Joguemos bombas ao alto
Em homenagem às almas
Desumanamente destruídas.
E, por fim, bebamos
O sangue escarlate
Que mancha o chão,
Um dia puro.

PONTUANDO

A existência
na sua efêmera essência
passa de um ponto?
O universo num ponto, em diversos
pontos...
Astros em sintonia no alto pontuando
cada ato
cada passo.
Vejo mil pontos de um todo.
E mil todos em um só ponto.
Pontos aleatórios num infinito com fim
certo,
fim que soa como início de uma
infinitude de possibilidades
que o olho capta,
adapta,
mas não sou apta para descrever.
Transcrevo em poucas linhas de poesia
o brilho inexplicável de uma noite fria.
E ao pontuar se entende a troca:
o ponto que aquece
é o ponto que te toca

DISTÂNCIA QUE UNE

Saudades tuas tenho bastante
Nesse peito que amor tem demais.
Tua face em minha mente é constante
Tu és, sim, meu porto e seguro cais.

Por tua volta me pego ansiosa
Planejo, alegre, cada detalhe;
Vejo poesia em tudo que é prosa
Pelo mundo nosso amor se espalhe.

Quanto mais espero, mais demora...
Coração aperta acelerado
Tu és dos meus dias a minha aurora.

Quero-te sempre perto de mim,
Doce e sempiterno namorado,
Que é meu adorado querubim.

VISTOSO TERNO

O olhar de muitos ângulos
Faz adormecer o gosto.
De muito mirado o rosto
Já agrado nem desagrado tem.
Contanto que não se vire ao lado
É próprio, é esboço, é sonho.
Proponho, pois, que mais olhemos
Para que longe de extremos, a arte
Aquarela (sim, aquela)
Se espalhe e se aperte
Em nós dois, de amor in
\
terno
/
e.

FUNDURA

Profundidade
A distância de uma altura
Que para baixo se desloca
Em uma acrofóbica tontura

SE FOR AMOR...

Se for amor, então, que seja eterno;
Contudo, se não for, que seja breve,
Que tire todo o peso e deixe leve
Meu coração, que em ti é subalterno.
Se for amor, que seja duradouro,
Mas se não for, então, que vá embora
Porque meu peito sempre por ti chora
Pensando que esse "amor" é lindo e puro.
Se for amor, então que concretize
Todos os sonhos por mim tão sonhados
Em tantos paraísos encantados...
Mas se não for amor, que se amenize,
Que não atormente meu coração,
Burlado por uma falsa paixão.

METAMORFOSE

Em uma inerte sombra de uma esfera hostil,
Cantas por tua pena o pássaro que te feriu:
- Não prendas a Quimera que te queima por dentro,
pois pulsante é a tua fúria, tua imagem, seu tormento.

Deixe-a corroer teu ventre,
angariar a tua alma.
Sangrar a tua pele,
minguar a tua calma.

A sua herança sanguínea clama
por noites de prazeres, corpos em chamas.

Nesse corpo hostil que te rejeitas,
teu impulso animalesco te deita
de quatro como uma fera rara,
Uivando para a noite que não se cala

Procuras pelo gozo, pelo sexo,
sem nenhuma razão ou nexo.
Te suspendes numa corrente, o teu corpo quente
que não te deixas no esquecimento
a tua imagem, o seu tormento.

Ela te lembra de tua fome insaciável,
de sua carcaça subitamente mutável.
E o seu canto que emerge dessa esfera:
- Não aprisionas nessa jaula a sua Quimera!

Welington Hopka – Categoria 3

O "PLATÃO" PERFEITO

Qual o prato de hoje?
Que tal uma moralidade?
Uma dose de juventude
Com uma pitada sobriedade?
E vc pode até pesar, apesar não ter necessidade.

E pra beber?

Posso te oferecer a porção do amor

Com uma dose de verdade
Com pouca utopia
Com preço de oportunidade
E de sobre mesa?

Temos uma velhice saudável
Recheado com o amor verdadeiro pra sempre ao seu lado
com cobertura de filhos agradecidos eternamente
uma morte dormindo além de sorridente.
ah! Infelizmente, não tenho tanto dinheiro pra tal!
Me veja só então um café preto, e dois na chapa!
Tudo isso que me oferecera, deve ser tudo saboroso
Mas infelizmente é pra poucos
Talvez seja pelo dinheiro, beleza enfim
Mas o que sei, é que isso não é pra mim.

"RECOMEÇO"

Esta imagem como a de um espelho
É somente a aparência
Procuro o meu próprio eu
Procuro a minha essência
A força que me torna
humano Ação verso
potência

O presente deixa escapar
A criação da realidade
O eu se perde no tempo
Buscando dignidade
Perdi o belo da estética
Mas não a capacidade

O desejo é libertador
A intensidade é construída
Me coloca em movimento
Buscando uma saída
O eu se torna potência
E dono da própria vida.

O mundo é um todo aberto

O novo devemos fazer
A construção de instantes
Que justifica viver
Não é a deficiência
Que limita o meu ser

O espaço que me é proposto
Eu posso não aceitar
A distância do horizonte
Sou eu que vou calcular
E a potência que eu
disponho
Me permite alcançar

O encontro que eu procuro
Não é um encontro qualquer
É um encontro comigo
mesmo
E com a vida como ela é
Porque a felicidade
É tudo que a gente quer

Conhecendo a mim mesmo
Sabendo o que quero buscar
O outro se torna um apoio
Na hora de caminhar
A ação é individual
É de forma singular

A potência de existir
Dentro da realidade

Dá-me como adversário
A própria temporalidade
O tic-tac do relógio
E a minha capacidade
Esta nova identidade
Precisa de confirmação
A base é um equilíbrio
Cabeça e coração
Um controla os afetos
O outro controla a razão

Portanto minha essência
Eu penso ter encontrado
O limite do ser humano
É por ele colocado
Esta apresentação por
exemplo é um desejo
realizado

Por que o encontro com a
essência? Porque se a vida é
a potência dentro do tempo
presente
Porque sou mulher, mãe,
estudante,
profissional, humana
E a capacidade de articular a
vida está na mente não na
perna deficiente.

MÃE...

Mãe são três letras apenas,
Comoventes são no dizer
E na forma de conceber,
Quanto elas são serenas.
Mãe são três letras apenas,
Nada fácil pronunciar
E grandes no verbo amar,
Em seu, número, pequenas.
Comoventes são no dizer
E em outra qualquer questão,
Se feito com o coração,
Bem fáceis de compreender.
E na forma de conceber,
O busílis se complica,
Em quanto isso implica,
É que temos de entender.
O quanto são serenas,
Doces, meigas, maviosas,
Calmas e bem gostosas
Mais parecem ser dezenas.

As categorias: 1 – 2 – 3 – Foram extraídas, do concurso literário desenvolvido, elaborado, e executado pelos Jovens integrantes do Rotaract Marília Pioneiro. Apresentado no Teatro Municipal de Marília SP.
Presidente: Ana carolina Nonato - 1917/18
Presidente Bryan Ferreira Santos - 1919/20

A CAMINHO DE BUENOS AIRES

Estou em pleno voo, aproveitando esse tempo a caminho da capital portenha, para deixar mais uma página escrita para o livro do nosso amigo e companheiro Milani.

Várias vezes já estive em Buenos Aires e é sempre um prazer renovado, em função das belas atrações que a cidade nos proporciona.

Muitos dos nossos leitores com certeza já tiveram essa oportunidade e hoje lembram com nostalgia dos belos passeios que fizeram.

Quer seja no Caminito, na Recoleta, em Palermo, nas visitas a Casa Rosada, ao Obelisco, a Catedral, aos Estádios do Boca e do River, ao Porto Madera, as casas de Tango como Senõr Tango, Esquina Gardel, ao Cassino no navio ancorado, ao caminhar beirando o rio La Plata, ao passeio no Delta do rio Tigre, a cidadezinha vizinha San Isidro, enfim, são lembranças que se eternizam em nossa vida.

Por ser agente de viagem, já tive inúmeras oportunidades como essa, e para mim é sempre uma alegria rever essa cidade, tida como a Paris da América do Sul.

Ao contrário do que dizem, o povo é extremamente simpático, e acolhe a nós brasileiros com muito carinho.

Da minha primeira visita há 40 anos, evidentemente muita coisa mudou. A Calle Florida já não é mais a mesma, pois vários cafés encerraram suas atividades, bem como muitas livrarias e floriculturas que eram muito presentes nesse local.

Hoje não deixou de ser o coração comercial da cidade, mas os pedintes são muitos e o lixo está presente em todas as quadras.

O metrô também não deixa de ser uma atração, por ser o mais

antigo da América do Sul. Mas apesar de alguns pontos negativos, ainda é um passeio inesquecível.

Dentro de minha pequenez ao escrever essas linhas, acabo de me lembrar do nosso grande poeta que escreveu a música samba do avião, sobrevoando a cidade do Rio de Janeiro.

Fica aqui pretensa comparação, com meus desejos de que muitos de vocês possam também passar por essa feliz experiência.

Luiz Carlos Gonçalves
Governador 2012/13
Rotary Distrito 4510

A DOCE ARTE DO SERVIR

Companheiros (as) se dermos uma paradinha e levarmos nosso pensamento para o título acima, veremos com surpresa a importância do nosso voluntariado. Iremos discorrer apenas sobre o trabalho dos Rotarianos, lembrando-nos que existem também os dos vicentinos, leões, maçons, que, a exemplo de nossa organização, também cultuam a prática do bem.

No nosso caso, basta fazermos um levantamento apurado de quantos projetos já foram feitos pelos clubes de nosso distrito. Não queremos ser bairristas, mas é que como governador em 2012/2013, tive a oportunidade de conhecer a fundo, muitas entidades assistidas pelo Rotary. Cada um de nós pode escolher qualquer cidade onde o Rotary esteja presente, e checar a veracidade de nossas palavras. Seja de qualquer porte a cidade, de pequena ou de grande população, com certeza as entidades aí presentes, já foram assistidas pela nossa organização.

Não importa a forma como trabalhamos, seja com a festa da pipoca, como diz nosso querido Governador Márcio Medeiros, ou uma festa da pizza, do sanduíche, do churrasco, da macarronada, do porco no rolete, do jantar dançante, do almoço beneficente, da festa das nações, da quermesse, enfim, a criatividade do rotariano é tão grande quanto seu coração. E quão prazeroso é o companheirismo e a solidariedade presente nesses eventos. Aí é o quanto vemos a abrangência do nosso trabalho, e o tanto que ele beneficia quem dele precisa.

Lembremos também, que não é o simples fazer, a doação do nosso tempo em prol de outro ser humano, mas acima de tudo, o exemplo que passamos para os outros, do verdadeiro ideal de servir. Façamos a conta dos valores com que já conseguimos beneficiar as incontáveis entidades e veremos que jamais chegaremos a um número que corresponda ao prazer que tivemos de poder dizer, nós participamos dessa obra.

Fiz questão de poder inserir uma página como essa em nosso livro do 4510, para que cada um dos associados sinta a importância do que é estar no Rotary. E mais ainda, para que não sejam rotarianos, possam se sentir motivados a fazer parte de um Rotary Clube. Feliz daquele que se dedica a fazer o bem, quer esteja ou não participando de uma organização, porque ao olhar para trás e ver que nos rastros que você deixou, alguém se beneficiou do pouco ou muito que você pôde fazer. E aí surge a tão famosa premissa Rotária: Mais se beneficia, quem melhor serve.

Luiz Carlos Gonçalves
Governador 2012/13
Rotary Distrito 4510

FELICIDADE

O que é a felicidade para você?

Para alguns é a saúde, e para outros, o poder, o dinheiro, o vigor da juventude, o encontro com amigos, o sonho realizado de uma viagem, o sucesso nos negócios, a compra da tão almejada casa, a troca do carro usado por um novo, a vinda de um filho, a formatura dos seus herdeiros, a chegada de um neto, a participação na vida social, a credibilidade alcançada, o respeito conseguido, enfim, existem milhares de formas de alcançarmos a FELICIDADE.

Para mim, acredito ser um estado de espírito, pois muitos aprendem a viver com pouco e o que têm é o suficiente, mas para outros, a busca de sempre querer alcançar algo mais, é uma constante em sua vida.

Quem está certo? pergunto eu.

Na primeira hipótese podemos achar essa pessoa um acomodado e na segunda um ganancioso.

Mas cabe a cada um buscar a sua plenitude na forma de ser feliz.

Muitos dirão que não conseguiram ser felizes por falta de sorte, enquanto outros dirão que Deus colocou a felicidade em seu caminho. Reflitamos um pouco na vida que temos e analisemos se a felicidade é ou não nossa parceira.

Creio eu, se não nos falta o alimento, o teto para abrigar nossa família, a saúde e o bem-estar de nosso clã e daqueles que nos cercam, a educação para nossos filhos, a estabilidade emocional em todos os sentidos, a alegria de acordar com Deus no coração, a disponibilidade de ajudarmos nosso próximo, a alegria de nos sentirmos livres e sermos donos de nossas atitudes, tenho convicção de que somos realmente felizes!

E como é bom nos sentirmos assim, pois aí teremos certeza de que Deus nos abençoou, e é nossa obrigação por isso, também tornarmos outras pessoas felizes.

Saibamos então distribuir essa felicidade amando mais, levando um pouco do que temos para quem nada tem, abrindo um sorriso e os braços para quem necessita de um gesto de carinho, visitando um doente no hospital, uma criança abandonada em um orfanato, um velho solitário em um asilo, ou ainda, participando de uma instituição com fins caritativos.

Talvez outro gesto de ensinar as letras e números para quem não teve essa oportunidade na vida, ajudar um idoso ou cego a atravessar uma rua, darmos oportunidade de trabalho para quem precisa, orientarmos adequadamente quem busca uma informação, apadrinharmos uma pessoa em alguma atividade, também são formas de distribuirmos a felicidade.

Não quero com isso passar por um pregador, nem tampouco dizer que sou exemplo de tudo isso. Uso dessas poucas linhas e dessa oportunidade que me foi dada, para que atinemos em nossa vida, naquilo que Deus nos concedeu e saibamos aproveitar essa oportunidade de "dar de si antes de pensar em si", e que "mais se beneficia quem melhor serve".

Luiz Carlos Gonçalves
Governador 2012/13
Rotary Distrito 4510

LIÇÃO DE VIDA

Certo dia ao dirigir-me para casa, liguei o rádio do carro e ouvi uma música que trazia uma mensagem em seu conteúdo e uma grande lição de vida.

Fazia uma comparação entre o peixe, uma ave e o homem, lembrando que o primeiro tinha as barbatanas, o segundo as asas e, por último, o homem possuidor de seus braços. Todos eles livres, mas ao mesmo tempo podendo serem prisioneiros. E vamos ao porquê! O peixe capturado pode tanto servir de alimento, como também de objeto de decoração ao adornar em um aquário, determinado ambiente.

O mesmo destino tem uma ave, que também pode servir de alimento, como decorar um determinado local, desde que presa em uma gaiola ou viveiro.

Quanto ao homem, animal racional, detentor de inteligência, cabe a ele escolher seu destino, pois com seus braços pode simplesmente trabalhar e ganhar seu sustento, como também viver no ócio e visar de seus membros para tirar do próximo de forma escusa, o necessário para sua vida criminosa Aí vem o livre arbítrio e a lei de causa e efeito.

Enquanto o peixe e a ave não têm opção de escolha, nós a temos.

Não deixemos ser fisgados por um anzol nem tampouco cairmos em uma arapuca, pois já que Deus nos dotou de sabedoria, saibamos escolher e trilhar o caminho do bem.

Que nossos braços e nossas mãos sirvam unicamente para servir ao bem e ao próximo, para que tenhamos o respeito de toda a sociedade, e sirvamos de exemplo aos nossos filhos e netos. E que também possamos dar aos peixes e as aves, a liberdade que merecem, ao invés de aprisioná-los para deleite nosso e de outras pessoas.

Sejamos coerentes com nossas atitudes e decisões, sejamos o exemplo para aqueles que se espelham em nossa vida, em nosso modo de agir, usemos a prova quádrupla como modelo de vida, saibamos ter tolerância para com os menos esclarecidos, levemos o pão material e espiritual aqueles que precisam, enfim pratiquemos o rotarismo e o evangelho.

Aprendizado para isso nós tivemos, basta tão somente colocá-lo em prática para que vejamos não só nossa vida tomar um novo rumo, mas também a daquela a quem estamos servindo.

Enquanto os pássaros e peixes aprisionados usam de seus membros como adornos, usemos os nossos para edificarmos um mundo melhor, e proporcionarmos uma qualidade de vida digna para o ser humano, esse sim, é o verdadeiro trabalho rotariano.

Luiz Carlos Gonçalves
Governador 2012/13
Rotary Distrito 4510

VERA CRUZ PAULISTA

Vera Cruz Paulista,
Cidade interiorana,
Modesta, bacana,
Joia do interior,
Homenagear-te,
Decidi agora,
Usando nesta hora,
Meu dom de trovador.

São 94 anos,
De tua existência,
Com benevolência,
Deus te abençoou,
Crescer e ser bela,
Era o teu destino,
E o padre Florentino,
Por aqui chegou.

Chegaram também,
Grandes pioneiros,
Família Guerreiro,
Oliveira, Otoboni,
Família Machado,
Furtado, Zalaf,
Os Manoel da Silva
E família Tozoni.

Tiveste no início
O nome Kentuckia
Porém este nome,
Teu povo não quis,
Por ser tua gente,
Fiel a Jesus,
O nome Vera Cruz,
Foi bem mais feliz.

Lojas e empórios,
Foram se instalando,
Formando assim,
Um comércio arrojado,
Casa ABC,
Móveis Gildo Cappi,
Posto Kakeyama,
E Casas Furtado.

O povo das fazendas,
Vinha fazer compras,
Carroças, carretas,
Outros á cavalo,
No bar do Fiori
Ou na casa Glória,
Na casa Cibantus,
Ou na Casa Lallo.

Enormes fazendas
Foram se formando,
Pessoas chegando,
De todos os lados,
Grandes Serrarias,
E as casas se erguendo,
Provando que era,
Um solo abençoado.

Chegou para ti,
A emancipação,
E a município,
Fostes Elevada,
Prefeitura, Câmara,
Foram se instalando,
E tu não paravas,
Dinâmica, arrojada.

Foram teus prefeitos,
Que te conduziram,
Ao que tu hoje és,
Bela Vera Cruz,
Por ti batalharam,
Obtendo Sucessos,
Dando-te o progresso,
A que Tu faz jus.

Teu belo Santuário,
De suntuosa vista,
A quem te visita,
Deixa admirado,
No alto da torre,
O Cristo abençoa,
Todas as pessoas,
Teus filhos amados.

Teu belo jardim,
Em frente á igreja,
Faz com que tu sejas,
Um ninho fagueiro,
Que transmite paz,
Deleite e ternura,
Recanto Aprazível,
A teus forasteiros.

Salve Vera Cruz,
Pequena, mas grande,
E onde quer que eu ande,
Não vejo outra igual,
Os teus habitantes,
Pacato e ordeiro,
Por ti, tem no peito,
Amor Filial.

Tem o belo título,
De cidade Joia,
Tu és uma pérola,
Que o brilho reluz,
Digo com orgulho,
E amor febril,
Salve o meu Brasil,
Salve Vera Cruz.

MARÍLIA MENINA MOÇA

Marília menina moça
Cidade de encantos mil
Tu és cidade querida
A Jóia do meu Brasil
Nascestes, tão pequenina
Rapidamente cresceu
Tivestes como padrinho
O grande Bento de Abreu
Aqui residiam os índios
Os temidos coroados
Mas chegaram os pioneiros
Vindos de todos os lados
E as primeiras residências
Foram sendo construídas

Praças, hotéis e armazéns
As ruas, as avenidas
O bravo Antônio Pereira
Com seu filho, o Pereirinha
Também lutaram por Marilia
Sem jamais fugir da rinha
Linha férrea, estação
E o primeiro trem chegando
Mais casas sendo construídas
E as indústrias se instalando
Hoje Marilia possui
Lindas praças, monumentos
A Matriz de Santo Antônio

E a Basílica de São Bento
Marilia tem seu teatro
Tem os seus arranha- céus
A bela rodoviária
Praça Maria Izabel
Marilia chama a atenção
Por seu desenvolvimento
E é chamada com orgulho
A capital do alimento
Por isso que te enalteço
Com arroubo tão febril
Salve Marilia querida
Neste quatro de abril.

PANTANAL

Nestes campos pantaneiros, alagados e festivos
Mil vozes de animais, insetos e, aves em trinada
E eu na saudade da menina, da linda namorada
No encantamento maravilhoso desde povo nativo

Momentos de tristeza, grande silêncio e solidão.
A dor que machuca em meu peito, e é tão forte.
Sei que mais uma vez vou vencer, ela, a morte.
Que me ronda em mais uma nova hipertensão.

Na natureza sábia, todos vivem nesta harmonia.
O nosso amor venceu barreiras e mais esse dia,
Não iria findar sem estarmos juntos e abraçados.

Você minha amada, brincando com seu carinho.
Mostrou-me que é no amor que nasce o caminho.
Para ser felizes e vivermos sempre enamorados.

MEU CORAÇÃO EM TUAS MÃOS

Na ânsia incontida de procurar pela vida: pensei no amor.
Na tristeza do incerto, do impossível, da pungente vibração:
encontrei a dor.
Sofri na minha desventura, mergulhei na escuridão, tenebroso e cruel.
Querendo, sonhando, sem pensar no outro dia, quis doce, quis mel.

Oh! Sonho d'ouro, símbolo da pureza de uma alma imaculada.
Desventura da vida, sonho, poesia, amor, tudo, acabou em nada.
Tentei, lutei, qual louco descontrolado, buscando mais e mais.
Perdi tudo: sonho, poesia, amor. Não restou nada, nem a paz.

Minha'alma chorou, sofreu, sentiu meu drama com profundeza.
Passei pela pior, chorei, sofri, tudo acabou... Só restou tristeza.
Porque perder a minha vida? Só por um pequeno fracasso?
Ainda sou jovem, descente, vivi, sofri, aprendi... Então o que eu sentia era só cansaço.

Cansaço da procura, do amor, de tudo enfim, do verdadeiro.
Da ternura inexistente, da falsidade que só pensa no dinheiro.
Vejo-me agora diferente, tranquilo, com muito amor para dar.
Vejo-me agora em paz, ardendo no desejo de ter alguém para amar.

Veja! Encontrei você, meu amor, minha paz...tenho alguém e me aparece:
A verdade, o amor, tudo de bom, meiguice e carinho...tal qual em uma
prece de meu Deus a enlevar a vida num sonho perene... de luz e benção:
A sentir a calma profunda, a vida, a felicidade, o amor... o bem de um coração.

INSPIRAÇÃO

Vários poemas criados e, todos nessa messe.
Em somente alguns dias, minha querida menina.
É você a inspiração, que incentiva a minha...
Na vida, no amor, Com Deus em uma prece.

Eu te amo, tu me amas, somos apaixonados.
Na inspiração da vida, como dois colegiais.
Amando-nos todos os dias e cada vez mais.
Para a eternidade, nós estaremos casados.

Idolatrando paixão, em nosso momento de amor.
Zelando na paz suprema e, com elevado fervor...
Infinitamente alegres, feliz, extravasando emoção.

Somos amantes namorados e, com muito carinho.
Nossa união de almas, para construirmos o ninho.
Ainda esperando do céu, que Deus nos dê Sua benção.

"TEUS OLHOS"

Porque falar dos olhos, serão eles a sensação?
Falarmos da cor dos olhos, esta é uma verdade.
Se sentirmos a pureza e afastarmos a vaidade.
Assim será nossa vida, nosso amor, e a paixão.

Se são azuis como o céu, talvez ciúmes demais,
Se são verdes como o mar, queixumes a declarar,
Se são pretos então, só nos fazem então chorar,
Se castanhos, como os meus, são castelos reais.

Mas teus olhos têm a cor, é a cor real do amor,
Verdes clarinho: paixão, ou azuis clarinho: a flor,
Sempre serão os teus olhos, alegres a me fitar...

Porque você é a vida que sempre quis para mim,
Ter teus os lábios rosáceos, coloridos de carmim,
E unindo nossos olhos e lábios e sempre te amar.

FELIZ ANIVERSÁRIO

Hoje naveguei nos sonhos, no amor, na fantasia...
Transpus o tempo. Viajei longe... fui mais além...
Ouvi uma doce voz! Era um anjo que me dizia...
Trouxe-me paz... deu-me alento e me fez bem...

Hoje eu durmo o sono leve do passarinho...
Com harmonia, muito sossego e muita luz...
Feliz e calmo, volto tranquilo para o meu ninho...
Após a missa e conversado com meu Jesus.

Anjo querido de voz suave, linda pequena...
Quero-te livre e solta, calma e muito serena...
Como este soneto que vai para o seu diário;

Seja feliz, lute, ame, corra, não pare, vá buscar...
Aquele homem que te merece, que vai te amar...
Este é o meu melhor presente: Feliz Aniversário.

A HEROÍNA

Queria ser um poeta sonhador,
Que tem na poesia o bem do amor,
Que sabe escrever tão bem e com calor,
As peripécias do desabrochar da flor.

Para escrever uma poesia a heroína,
Do amor, que na vida se fez rainha,
Tal qual na beleza rara da menina,
Com tua vida bela e tua alegre sina.

Queria escrever para quem se ama,
Versos lindo, que dá vida não profana,
Da doce alegria, não da mente insana,
Com meiguice, carinho, coa doçura que emana.

Joana D'arc também soube o que fazer,
A heroína francesa que lutou pra valer,
O galardão da fé a encontrou no atelier,
Do palco da guerra, o seu fim ao morrer.

E minha menina, heroína do amor,
Tirou meu coração da triste dor,
Como o desabrochar da bela flor,
Encheu meu peito com todo o seu calor.

E agora fico pensando como farei,
Para lhe dedicar algo, como começarei?
Se me falta a palavra certa, agirei
Como demente, outra coisa não serei.

Sinto a tristeza da ausência, que saudade,
Sinto a demência da frieza, da maldade,
Que muitos usam conscientes em falsidade,
Quando se encontram bem distante da verdade.

Queria escrever algo de bom, mas não vai dar,
Sinto vazio meu celebro, não consigo pensar,
Em uma maneira de a ela poder muito agradar,
Oque só sei é que muito, e sempre vou te amar.

CONVERSANDO COM JESUS

O vento da madrugada batia em minha janela...
Deitei-me triste, sozinho, eu estava arrasado...
Por ter perdido a mulher que tanto havia amado,
Na ilusão dessa vida, entregando meu amor a ela.

Nesse momento ingrato, lá no fundo via a luz...
Em minhas preces pedi e comecei então a rezar,
Ela me mostrou o caminho e, onde iria parar...
Os meus anjos me mostrando, logo avistei Jesus.

Fui ao seu encontro e então pedi Sua benção...
Comecei a Lhe falar, das coisas do coração...
Ele me disse: "filho querido, deixe de ingratidão",

"Eu te dei uma esposa e só a ela você deve amar...
Se dedique com carinho que em breve irei te levar,
Para uma nova morada, que é o reino da paz e oração."

VIDA VIVIDA

Escrever, que maravilhoso é, faze-lo.
Ler, fontes de sabedoria inesgotáveis.
Pensar, viver os momentos de decisão, converte-los,
no amor, na dor, nas paixões infatigáveis.

Sonhar sim, aquele sonho encantado, colorido,
com as cores da natureza, de lindo contorno,
com aquele rosto sereno, jovem, bem vivido,
com aquela linda mulher nascida no outono.

O inverno frio, gelado e o vento cortando
a tudo, e as folhas no seu voo de morte.
As árvores se entristecem, nuas, murchando,
abaladas, sacudidas, com sua sina, sua sorte.

Tristes ficam os caminhos, os poetas entristecem.
O sábio escritor, da prosa, perde toda a inspiração.
O cantor, que cantava alegre outrora, adormece,
nas baladas, das tristezas, da saudade, da canção.

E o leitor assíduo, perde a vontade, miséria tanta.
Ler, buscar informações, nas tristezas do mundo.
Deixa de ler seus livros, quer se aquecer na manta,
e deixa para o dia quente sua busca disso tudo.

Pesar, no sentimento só tristeza, os campos queimados,
a geada dizimou tudo, e o sol ardente, para ajudar.
Como pensar no amor, na vida alegre, bem amada,
se tudo é cinza, acabou, restaram dores a lamentar.

Sonhar o sonho triste da verdade, que vem
brotando da natureza, do mundo lá fora.
Este sonho infeliz, que leva a imaginação e tem
vontade de parar, largar tudo e ir-se embora.

Os dias passam, lentamente, vão passando.
As árvores nuas, vergonhosas, sem suas folhas,
devagar, da natureza sábia, vão brotando,
cobrindo-se, os teus ramos e teus galhos.

O pássaro mudo que de frio, quase morreu,
triste, gelado, saiu-se e agora voa, a espera,
no seu trinado mavioso, seu cantar alegre,
o nascer e reinício de mais uma primavera.

Os campos, os caminhos voltam a sorrir.
Todos, tudo na natureza voltam a sonhar.
Eu também, pensando em ti, penso em ir
correndo a teus braços, e neles me abraçar.

E na formosura ardente, em teu desejo,
desta idade que há pouco tempo você fez,
tens ainda a vida inteira, não só o beijo
que me deste um dia, e me fizeste renascer.

Na flor da idade, em toda a tua candura,
fizeste nascer à beleza em duro coração.
Que de amor sofreu, e agora com loucura,
dedica-te, menina, esta ardente paixão.

A saudade cresce, aumenta, que saudade,
de teu olhar sereno, de teu corpo lindo.
Como a Vênus de Milo, muito mais, verdade!
Tua voz, melodiosa, qual dobrar de um sino.

Teus cabelos, querida, a acariciar meu rosto,
pescoço e ombros, que delicia tê-la, amor,
junto a meus braços, com afeto e muito gosto,
teu amor sublime, tua face, o teu jeito, teu calor.

Tua boca a carminada, tal quais duas pétalas de flor.
Teus dentes lindos, em fileiras de peças de marfim.
Traduz teus lábios a felicidade de um grande amor.
Conduz tua boca a reciprocidade que vive em mim.

Escrever, ler, pensar, sonhar, no amor
para viver essa nossa paixão, querida.
Pensar em tudo, na alegria e no calor,
sonhar contigo, é viver essa bela vida.

Você é luz, é vida, é tudo enfim.
Você é saudade, alegria, é o segredo.
Você é paz, harmonia, tudo pra mim.
Você tão jovem, e perde-la é meu medo.

A VERDADEIRA AFEIÇÃO NA LONGA AUSÊNCIA SE PROVA.

(Luís Vaz de Camões)

Lembrança ao mesmo tempo amena e triste
Aquela que me vem ao pensamento
Nas horas de saudades que eu enfrento.
Lembrança que comove e volta e insiste.

Saudades de uma gente que resiste
Sempre com salutar comportamento.
Da vida interiorana em sentimento,
E também de princípios sempre em riste.

Do tradicionalismo que a governa,
Do tino de uma gente de vanguarda,
Dos puros corações onde há bondade.

Marília, teu progresso a alguns consterna,
Mas que o mesmo ideal em ti sempre arda:
Ser símbolo de amor e liberdade.

Renato de Souza Marques Craveiro
De Marília para São Paulo, 25 de julho de 2019.

O ARTISTA

O artista toca a alma
e ensina.
Não importa o seu dom:
música, arte, dança,poeta
algo nos ensina.
Na orquestra a platéia
se encanta,
música clássica!
Linda melodia.
No teatro riso,
choro, emoção
que deixa a alma
em extasia.
O balé tem seu
encanto!
Leveza nos pés,
sapatilha de ponta,
show de classe
e magia.
O poeta
brinca com
as rimas.
Combina as
palavras
que chegam
a alma
e inspira.

O ator de cada peça...
um personagem alegre,
ou triste ele exerce.
Tem o dom de criar
uma pessoa nova
a cada dia para cada
personagem
um dom irradia.
O palhaço alegra
a alma,
com risadas
e doçura.
E o principal do
circo e do palhaço.
É de ser o artista do
riso fácil
que alegra e inspira
até hoje em dia...

DEFICIENTE EFICIENTE

Aonde nós menos esperamos tem preconceito. Pode ser no trabalho ou no lazer. Mas que bom existem anjos nas nossas vidas, chamados amigos.

Se a vida não é como nós gostaríamos que fosse, certamente ela nos reserva aquilo que precisamos para o nosso crescimento espiritual.

Embora não seja fácil falar de si mesmo - ou sobre algumas situações que acontecem no dia-a-dia - creio que possa ser interessante discorrer um pouco sobre a minha história de vida.

Sou uma jovem de 27 anos de idade, portadora de uma síndrome Neurológica congênita – ataxia indefinida – caracterizada pela falta de coordenação motora, especialmente quanto ao equilíbrio, decorrente de algum bloqueio cerebelar. Sempre acompanhada e apoiada pelos meus pais – paulo e diva - desde a primeira idade faço intenso e variado tratamento fisioterápico e para me locomover uso cadeira de rodas – para longas distâncias – e andador – em locais mais restritos .

Apesar dessa aparente dificuldade física, sou dinâmica, tendo me Graduado e pós–graduado em marketing, bem como sempre participei de inúmeras atividades, por exemplo: Interact Club e Rotaract Club, que são projetos estruturados do rotary international que buscam desenvolver a liderança nos jovens, e da escola de samba "unidos de vila maria" onde, além de coordenadora de ala, desfilo como destaque, sendo a única destaque com deficiência no carnaval paulistano. Aliás, essa situação inclusive foi objeto de matéria jornalística veiculada pela rede globo de televisão em Https:/globoplay.Globo.Com/v/3890664/.

Ah! Desde criança participo do carnaval e, quando era pequena, com a ajuda do meu pai, eu ia andando os 550 metros do sambódromo do anhembi de andador e acabei recebendo uma homenagem da escola de samba que eu pertencia – Unidos do Peruche – com o título de "símbolo de raça e determinação". Tenha certeza, o mundo do carnaval é muito inclusivo, pois respeita toda e qualquer diversidade! Sobre carnaval, entre outras, também dei uma entrevista para o canal do sarau paulistano: Https://www.Youtube.Com/watch?V=sklsd6lkew0&feature=youtu.Br

Nessa mesma linha e época da minha vida, por iniciativa do rotary Club são paulo-parada inglesa, na capital do estado, fui inspiração do projeto papis - projeto Ana Paula de integração social [2], cujo objetivo era discutir nas escolas públicas a questão relativa à diversidade, inclusão e o bullying para com pessoas com deficiência, com o tema: "Barreiras comportamentais – como superá-las?".

Profissionalmente, trabalho na Fundação Arnaldo Vieira de Carvalho, mantenedora da faculdade de ciências médicas da santa casa de são paulo, na gerência de marketing e comunicação, ocupando o cargo de assistente de projetos.

Recentemente comecei no esporte paralímpico - petra -, uma modalidade nova, criada na dinamarca também conhecida como race running. Nela, os atletas correm com os seus próprios pés apoiando-se em um andador, uma espécie de triciclo sem pedais, que consiste numa armação com três rodas anexadas a um suporte para o corpo. O atleta tem o apoio de um assento, um suporte para o tronco e o guidão, que é utilizado para direcionar seus movimentos. O equipamento parece, mas não é uma bicicleta! Obviamente, tenho treinado bastante e espero muitas vitórias e ser uma campeã para poder representar o meu brasil!

Certamente teria outras histórias para contar, mas, como qualquer jovem, gosto de me divertir - costumo frequentar vários shows, teatro, vou ao futebol etc – e procuro viver a vida com alegria.

Entretanto, mesmo com essa atividade toda, é de se imaginar que em diversas situações vivi momentos que me entristeceram porque, infelizmente, estamos num mundo de preconceitos e discriminações das mais variados tipos.

Mas também é verdade que, em qualquer situação, todos podem ser exemplos positivos e foi pensando nisso que criei um blog onde trato de questões do cotidiano, dou dicas de locais que frequento e sobre os direitos das pessoas com deficiência, acessibilidade, inserção de pessoas com deficiência no mercado de trabalho, entre outros assuntos, no intuito de contribuir para a construção de uma sociedade mais justa e fraterna. Você também pode ser meu/minha seguidor(a): Https://deficienteeficientesite.Wordpress.com/.

Tenho certeza de que todos podem e devem ser exemplos positivos e, quebrando barreiras, demonstrar que, na verdade, somos únicos, cada qual com suas diferenças.

Assim, sempre procuro aproveitar as oportunidades para compartilhar alguns assuntos que trato no meu blog e, sem qualquer ativismo radical, espero poder ajudar outras pessoas, no mínimo, a refletir sobre questões que são inerentes ao cotidiano de qualquer pessoa.

Considero o ponto de partida mais adequado para enfocar o assunto a apresentação de uma definição sobre deficiência. Sempre lembro que a origem da palavra deficiente é "falho, incompleto" [3] . Mas, as pessoas com deficiência são falhas ou incompletas? Claro que não! A eventual ausência ou disfunção de alguma estrutura orgânica, congênita ou adquirida, que para muitas pessoas pode ser um impedimento para várias ações comuns do dia-a-dia, na realidade não o é. De fato, todas as pessoas, inclusive as que têm algum tipo de deficiência, têm expertise em alguma atividade e, dentro de suas eventuais limitações, são exemplos.

Veja que esse conceito de deficiente traz, em si mesmo, certo grau de negatividade e de depreciação da pessoa humana, mas, mais recentemente, tem sido rejeitado pelos estudiosos e pela própria sociedade.

A organização mundial de saúde - oms, por sua vez, diz que deficiência é o termo usado para definir a ausência ou disfunção de uma estrutura psíquica, fisiológica ou anatômica que diz respeito à atividade exercida pela biologia da pessoa.

Sempre lembro que a deficiência pode ser congênita ou adquirida, mas aqueles que são considerados "perfeitos" normalmente se esquecem dessa possibilidade. Ocorre que, seja congênita ou adquirida, certo é que parcela significativa dos seres humanos é portadora de algum tipo de perda ou anomalia que gera incapacidade para o desempenho de atividades do cotidiano. Conforme a organização das nações unidas – onu há cerca de 1 bilhão de pessoas com deficiência no mundo e, no brasil, são mais 45 milhões de pessoas com algum tipo de deficiência, segundo o instituto brasileiro de geografia e estatística - IBGE.

Considerando tais informações é preciso reconhecer que, num cenário de inclusão, ainda há muito que se fazer em relação às políticas governamentais e quanto à conscientização das pessoas em relação à questão da deficiência.

Essa é uma constatação que também decorre da vivência do dia-a-dia. Como já relatei existem lugares que o diferente é muito bem aceito e respeitado sem qualquer discriminação. Esse lugar verdadeiramente democrático, no sentido de que todos são iguais, e inclusivo se chama escola de samba. O mundo do carnaval é maravilhoso e, felizmente, não tem preconceito nenhum. Aliás, no carnaval, não existe preconceito com alguém, todos são aceitos e respeitados como e, sobretudo, pelo o que são.

Esse é um contraponto para uma questão impressionante: pessoas com deficiência não são percebidas por parte da população das cidades, especialmente em espaços públicos. Essa situação de "invisibilidade" encontra uma expressão marcante em questões que podem parecer banais como, por exemplo, nos buracos das calçadas paulistanas. O fato de as calçadas oferecerem dificuldades de movimentação para cadeirantes, deficientes visuais, idosos etc está associado a inúmeras questões. A meu ver, uma delas, ainda que inconscientemente, é a ideia disseminada pelo preconceito de que as pessoas com deficiência são uma espécie à margem da sociedade quando, na verdade, deveria haver um olhar que focasse na inclusão social.

Essa postura, repito, ainda que inconsciente, não pode abalar aspessoas com deficiência ou com necessidades especiais!

Os avanços nessa questão estão nos poucos projetos realizados pelo poder público como, por exemplo, o caso da av. Paulista, cartão postal da cidade de São Paulo, cujas calçadas são planejadas, amplas, com piso acessível e tátil para deficientes visuais.

Outra questão que merece ser enfocada é relativa à pergunta se as organizações estão preparadas para a contratação de pessoas com deficiência?

Num primeiro momento é de se pensar na educação escolar. A

legislação garante acesso às escolas públicas, porém, não basta dar uma vaga numa escola se não houver as adaptações e capacitação necessária para a inclusão do deficiente e sua relação, seu convívio, com as demais pessoas.

Em outro momento, temos a questão efetiva da empregabilidade. O texto "a pessoa com deficiência tem direito à participação e ao acesso a cursos, treinamentos, educação continuada, planos de carreira, promoções, bonificações e incentivos profissionais oferecidos pelo empregador, em igualdade de oportunidades com os demais empregados" precisa ser conhecido e respeitado. Trata-se de dispositivo da lei nº 13.146/2015 Que, por ser desconhecida, as pessoas não põem em prática. Nesse sentido, além de conhecer o texto legal, é preciso que sejam feitas as adaptações e capacitação necessárias para a inclusão do deficiente e sua relação, seu convívio, com as demais pessoas.

No caso da empregabilidade, ter pessoas com deficiência em seus quadros de empregados, além de tornar a empresa cidadã, com responsabilidade social, importa no pensar na inclusão de pessoas com deficiência no mercado de trabalho. Verifica-se que o termo está na moda, mas, mesmo assim, existem pessoas com deficiência que sequer tem um trabalho, pois quando há vagas, elas não são atrativas para essas pessoas, os locais de trabalho não estão devidamente adaptados, as pessoas não estão aptas para conviver com um diferente ou, ainda, os deficientes não estão devidamente qualificadas.

Essa situação, repito, nos remete a lei nº 13.146/2015 Que, por serdesconhecida, as pessoas não põem em prática. Sempre me lembro de ouvir meu pai repetir o pensamento de um antigo jurista francês que disse que "lei boa é aquela que é cumprida" *4* .Nesse sentido, além de conhecer o texto da lei, é preciso colocá-la em pratica, no caso preparando o espaço físico, capacitando pessoas e propiciando treinamento para todos os funcionários de cada empresa sejam efetivamente incluídos.

No campo científico lembro que em 2018, também houve importantes avanços científicos. Por exemplo, pesquisadores da universidade estadual paulista - Unesp de Rio Claro e da frança criaram óculos e um filtro verde que auxilia as pessoas com dislexia na compreensão e na escrita. Por meio do auxílio dos óculos, o cérebro do disléxico organiza as letras, e assim, melhora a qualidade da leitura e escrita.

Além disso, alunos da Universidade Federal de Itajubá - UNIFEI (MG), fizeram uma mão biônica em impressão 3D de baixo custo. Ao longo do tempo, a tecnologia se desenvolverá a ponto de propiciar próteses ou órteses personalizadas com um baixo custo.

Outra boa notícia é que, após muitas fisioterapias que não forambem sucedidas, em seguida a colocação de um eletrodo implantado na coluna, um tetraplégico voltou a andar com a ajuda de um andador. Os eletrodos estavam conectados a um gerador de impulsos implantável, usado para a estimulação cerebral em pacientes com o mal de parkinson, mas que foi adaptado para as lesões na coluna. Outro caso é por *Wireless*. Mesmo sem esses eletrodos, esses pacientes com lesões podem caminhar ou mesmo andar de bicicleta e as boas notícias também estão no mundo da moda.

Ainda em 2018, são paulo promoveu a 10ª edição do concurso moda inclusiva com desfile de looks para pessoas com deficiência. Lançado em 2009, o concurso moda inclusiva propõe uma reflexão comportamental, estimula alunos, profissionais e o mercado da moda a abordarem o tema. Motivados pelo concurso, hoje é possível encontrar trabalhos acadêmicos que discorrem sobre moda inclusiva. Há, de fato, um grande mercado de produtos e serviços para atender as demandas específicas desse segmento. Aliás, em maio do ano de 2018, participei de um desfile de moda sustentável inclusivo, onde tinham deficientes visuais, intelectuais e eu, cadeirante. A experiência que tive foi inesquecível, pois além de participar fui reconhecida como melhor figurino e desenvoltura ao me apresentar *5* .

Também é legal lembrar que a partir de 2018, o instagram conta com um recurso que ajuda os deficientes visuais e pessoas com baixa visão a ver fotos dos outros usuários. É fato, graças à chamada inteligência artificial tudo está ficando mais acessível para todos, pessoas com ou sem deficiência.

A tecnologia também se faz presente no esporte paraolímpico, mas Infelizmente o acesso disso é para poucos, pois o custo para ser um paratleta ainda é muito alto. Além disso, é quase inexistente o apoio governamental e do próprio empresariado, muito embora sejam absolutamente relevantes os resultados mundiais apresentados pelos paratletas brasileiros, aparentemente, não há a intenção de associar suas marcas com esse seguimento social.

Questão que entendo fundamental é relativa à família. A constituição brasileira dispõe que a família é a célula básica da sociedade [6]. Nesse contexto, enquanto unidade basilar do indivíduo deve ser integradora e responsável pelo desenvolvimento da criança em todos os sentidos. Mas, infelizmente, ainda existem pais que preferem deixar seus filhos com deficiência aos cuidados de abrigos delegando, assim, para terceiros e, por vezes, para o governo o dever de cuidar. É muito triste ver isso: seu filho ou filha em um abrigo sem as condições familiares necessárias para se desenvolver e, mais que isso, sem o carinho e apoio de seus pais.

Enfim, como disse no início, minha ideia é apenas discutir esse tema, tão comum ao cotidiano de qualquer pessoa, de modo que apenas pontuei algumas dificuldades que envolvem as pessoas com algum tipo deficiência, sem qualquer pretensão de me aprofundar nas temáticas, procurando motivar pessoas a se lembrarem de que todos são iguais perante Deus.

Por experiência própria posso afirmar que pessoas com deficiência podem e devem fazer tudo igual a todo mundo, é lógico, com as adaptações necessárias a cada deficiência. O essencial é que toda pessoa deficiente ou não seja tratada com igualdade, mesmo porque *"a verdadeira deficiência é aquela que prende o ser humano por dentro e não por fora, pois até os incapacitados de andar podem ser livres para voar"* [7].

Janeiro/2019

1 Portadora de deficiência motora é graduada e pós-graduada em Marketing.

2 Minha história de vida foi retratada num pequeno filme que era apresentado para alunos do ensino fundamental das escolaspúblicas. Após assistirem às imagens, os alunos escreviam uma redação sobre o tema e os melhores trabalhos eram reconhecidos num evento público realizado, não raro, na Câmara Municipal de São Paulo.

3 dicionário / google

4 Montesquieu. O Espírito das Leis.

5 Todas essas questões estão relacionadas ao mercado de trabalho

6 Consituição Federal, art. 226.

7 Thais Moraes, Pensador.

8 Portadora de deficiência motora é graduada e pós-graduada em Marketing.

COLEÇÃO DE TEXTOS DE DEGUSTAÇÃO

Estes textos foram produzidos a partir do encantamento com o advento da gastronomia na cultura brasileira e, por desejar me apropriar dos atributos disponíveis nos alimentos, como que num ensaio sobre como conhecer o mundo provando, mastigando, comendo e bebendo em incansáveis momentos de degustação...

Assim aprender sobre a degustação como metodologia sensório-gustativa, mescla de ritual ao comer-e-beber e sensibilidade e inteligência... transformou o desafio para estruturar a degustação, no modo pedagógico, na experiência de consumo como forma de conhecimento expresso nas ciências dos sabores e nas análises de gosto...

Esta coleção de textos gustativos fez parte do projeto "Degustação Técnica Itinerante" que ocorreu simultâneo ao "Ensaio Fotográfico em Restaurante". O ensaio foi composto por: degustação, fotografia do processo e anotação da percepção sensorial em planilha específica e, posteriormente resultou na elaboração de "Parecer Sensório-Gustativo. As comidas seguiram o receituário dos negócios de alimentação. O sistema de produção que organizou as porções para degustação é chamado "finger food". Cada texto tem um nome, que ao mesmo tempo se confunde em um título e nomes de comidas e bebidas e não necessariamente estéticas de gosto. Os textos gustativos seguiram a sequência de apresentação de comidas e bebidas num menu com Entrada, Prato Principal, Sobremesa e Digestivo.

Faço o que chamo de gastroliteratura... e amo o que faço!

ENTRADA

Sanduíche de peito de peru no pão integral e suco de laranja...

Produto levemente torrado e agradável aparência de sanduíche com tosta equilibrada. Predominam as cores marrom acastanhado externamente das fatias de pão integral, e internamente o róseo do peito de peru que se vê envolto acima por folhas verdes de alface crocante, a laranja cenoura, e abaixo por fatia expressiva de queijo branco e mais ainda... Cortes generosos de tomate marcadamente avermelhado.

Aroma que mescla pão, queijo e hortaliças perfumados com orégano e o defumado. Em cada bocada, prazer em degustar sanduíche e suco de laranja juntos. O suco é fluido, cítrico, liso, levemente adocicado e refrescante. Há um jogo de crocâncias, umidades e sabores percebidas pelo apetite do degustador! Geografia pontual da leve mastigação..., Boas notas que marcam a "linha saudável" de um cardápio que é variado e diverso com lanches, pães, bebidas quentes e geladas, combos, salgados e sobremesas. Uma breve refeição com toque gourmet! Sanduíche: a estética da comida leve, saborosa e saudável... Realize bons momentos de degustação pois definem um lugar privilegiado no cenário do dia.

Sushis e pastel de carne...

Material alimentar caracterizado por aparência colorida e mesclas de maciez e crocância. No prato, sushis e pastel de carne à espera de serem apreciados. Delicioso sushi que se consome na esfera de saciar o desejo de beleza e nutrição do degustador. Da louça branca rasa à boca, o sushi com alga, arroz japonês, atum fresco, cream cheese, gergelim negro, goiabada, salsinha, cebolinha, carne moída, massa de pastel, entre outros. Hum! Delícia e leveza em cada bocada, e em cada qual outra história de gosto. Quase ao final, mordiscar o pastel de carne, crocante, moreno claro, temperagem equilibrada..., é sorver reminiscências vindas da história da comida para o interior da história de vida do degustador. Quantas sensações numa só refeição? Tantas quantas o passeio na história da alimentação de quentes e frias texturas riso-sérias permitir... Quanto se pôde sentir neste momento plural de muitos silêncios? Marque como cena especial do dia degustar impressões fotográficas do comer e apreciar.

PRATO PRINCIPAL

Salada mista de legumes (palmito, tomate cereja, cenoura, alface, salsinha, brócolis e pepino), frutas (kiwi, melancia e ameixa) e azeite... Peixe pangasius ao pomodoro, tomate concassê, purê de batata e cubos de bacon... Farfale ao molho branco com ervilhas, presunto, queijo e pimenta biquinho...

Comida variada bem apresentada, com aparência de fresca, colorida, tenra. No prato, ao centro, a seleção do que apreciar propõe o predomínio de multicores, visitando tons escuros entre o preto, o verde intenso e o verde água, (per)passando notas avermelhadas, alaranjadas chegando ao branco pérola. Legumes, e suas histórias de paladar, em cortes variados formam um corpo de texturas entre palmito, tomate cereja, cenoura, alface, salsinha, brócolis e pepino. Delícias entre frutas frescas e secas, kiwi, melancia e ameixa são degustadas uma a uma e em conjunto, em meio ao oceano azeitado que deitadas permaneceram até saciar o desejo de beleza do degustador! Em louça branca rasa, pasta carnuda de farfale ao molho branco, acobertado de ervilhas, relevos de cubos de presunto, fios diminutos de queijo parmesão ralado e o toque da pequena e delicada vermelha pimenta biquinho, juntos marcam uma mastigação leve e compassada acompanhada de aromas de fios de azeite. Hum delicioso! Por último, o ilustre peixe pangasius ao pomodoro com elegantes cubos de tomate concassê, um cremoso e liso purê de batata e bacon crocante em cubos pequenos. Quantas sensações reunidas? Em meio a tantos detalhes surgem pólos geográficos que relatam a história dos sentimentos de percepção quanto ao dulçor, a maciez, o frescor, o frutado, o crocante..., enfim todos quantos se pôde sentir neste momento único de um pontal de instantes. Oportunize a degustação que trás marcas à refeição pois ela pode ocupar a cena do dia!

Salada de rúcula, berinjela, vinagrete, cenoura, vagem, ovo duro, azeitona e manga... salmão, alcaparras e talharim ao alho e óleo... Purê de batatas, queijo parmesão, azeite, salsinha e gotas de pimenta...

Esbanjando um plural de "cortesecoresetexturas", no prato conversam entre si folhas rasgadas de rúcula, antepasto de berinjela, vinagrete, cenoura à juliènne, vagem em entre-cortes, ovo de codorna duro, azeitona recheada com pimentão, e quadrados de manga. Todos regados a aromas de azeite que perfuma o encontro de sabores inusitados que vão do doce frutado, circulam pelo levemente salgado, (Ultra)passam o drama que vai do cru ao cozido e espraiam na suavidade da maciez. Da singeleza que registra a cremosidade do creme claro da mini-porção do purê de batatas se sobrepõem fagulhas de queijo parmesão, adensam e fazem brilhar fios de azeite, fotografam mini-folhas de salsinha em meio ao bouquet de esféricas gotículas de peppersauce. Enfim, o desejo do degustador em decifrar o que podem estar sussurando, o róseo peixe salmão grelhado, a temperagem do molho de alcaparras e o ninho de talharim ao alho e óleo, põe em relevo, para além do sentido da audição, a escuta inteligente de si ao espelhar-se no prato. A geografia é descrita pela panorâmica onde todos os componentes deste material alimentar sobrenadam em azeite grego. Sabores com novos significados inscrevem o inesquecível na história da cultura! Crie agradáveis ocasiões de degustação porque podem dar um novo sentido ao cotidiano comer diário.

SOBREMESA

Macaron limão siciliano...

Deitados em colher de degustação de porcelana branca os macarons são únicos. Observando da borda externa para dentro pode-se ver a cor amarelo limão, uniforme, superfície lisa, massa recheada e... ao olhar de dentro para a borda percebo cor de gema clara. Odor e aroma levemente cítricos e dulçor discretíssimo... Em boca gosto doce, limão siciliano, bom dissolvimento, sabor leitoso... rara combinação (memórias de quintal e gosto de infância)! Massa leve..., aerada..., boa mastigação..., reunião de misturas como açúcar, claras e de crocante e cremoso numa mesma bocada, zestes generosas de limão e caldo na justa medida... apelo aos sentidos do degustador e despertar de sensações mais íntimas! A análise de gosto da sensação bucal apresenta suave nota de limão, que é predominante, muito agradável, e sem qualquer outro residual. Notas de gosto com grandes chances de ampliar os aromas. Permita-se sentir o prazer de mordiscar o macaron. Marcante!

Macaron fava de baunilha...

Dispostos em colher de degustação de porcelana branca os macarons de fava de baunilha são inesquecíveis. Por fora pode-se ver a cor rosa intensa, bem uniforme, superfície lisa, e por dentro massa recheada de aparência leitosa. Cena bonita que desperta o apetite! Discretas notas de doce passeiam pelo entorno e são percebidas antes mesmo da primeira mordida...

Em boca gosto doce, sabor de fava de baunilha, sabor leitoso... combinação de texturas! Massa leve, aerada, boa mastigação, explosão de crocantes e cremosos numa mesma bocada, sementes de fava de baunilha visíveis se multiplicam na busca pela melhor medida no recheio... os sentidos degustam e apelam às memórias do degustador (memória da primeira degustação de creme confeiteiro)! A geografia da sensação bucal apresenta gosto doce e suave nota de fava de baunilha... Notas filosóficas de gosto para a "leveza... generosa..." e destaque para "aroma e sabor". Tire um tempo para o prazer e se delicie com macaron. Atraente!

DIGESTIVO

Café Creme Alegrine...

Em louça branca líquido leitoso-e-cremoso, de cor creme claro tendendo ao café passando pelo caramelo, uma aparência de café com leite tradicional, creme leve com plural de bolhas de ar brilhantes de tamanhos multiformes num esforço particular de partículas líquidassemi-líquidas-e-ar retidos em superfície de porcelana. Odores de café levemente adocicados mesclados a leite fresco, notas de caramelo e aroma predominantemente doce... (lembra café com leite em família aos domingos à tarde) torra padrão de café. Em boca gosto doce, notas discretas de baunilha, sabor de café com leite doce, mistura de espuma-líquido, agradável..., delicioso..., quente... sonoros os táteis desejos do degustador! Geografia (pré)visível de espuma espessa, cremosidade de corpo bem aerado, manutenção da espuma até o último gole na xícara... espuma-ar-líquido indissociáveis assim como... ética-e-estética! Sensação bucal final de gosto doce e sabor de café com leite! Relevâncias para aroma e sabor! Venha sentir o prazer de saborear esta novidade! Excelente!

Luiz Escouto Chef. Somelier

PARTILHA

Terça feira dia de abolir a preguiça, colocar o pé na estrada, pois a segunda sempre amanhece nublada para o trabalho.

Diz o ditado: "não há sábado sem sol, domingo sem missa e segunda sem preguiça".

Não entendia esse ditado, pois o sol nem sempre aparece no sábado, o domingo de missa é para religioso e a segunda é para aposentados olhar os outros no trampo.

Sei agora que é uma pequena metáfora. Quem não se alegra no sábado por não ter que pegar na enxada a capinar o campo? Nem todos somos agricultores, na verdade somos, pois a labuta pode ser de várias formas e o agricultor planta onde dá mais frutos.

Falando nisso o meu pessegueiro apresentou o primeiro fruto, pequeno, mas muito me alegrou. Veja, gostamos de plantar flores, folhagens e até legumes e esquecemos que plantamos ideias.

Pois é, que sejam alegres para dar alegria e não de tristes lamentos que não produzem bons frutos, apenas folhas secas mortas que só servem de adubo para quem as derrubou por aí.

Vamos ao fato, pessoa alegre nos alegra, que sejamos esse profeta da alegria. Por falar em profeta fui ao dicionário "aquele que profere palavras", que deveriam ser sempre de agradecimento, pois quem fala é porque está vivo.

Os mortos silenciam e não podem mais passar a grande mensagem da vida com bons amigos.

(Extraído do livro "A Lavra de Deus", não publicado).
Crônicas para uma vida tranquila. / Novembro 2019

O PERGAMINHO DA VIDA

A lágrima é apenas sinal de que os olhos têm ductos e não significa tristeza ou alegria, é a forma do corpo assegurar o que a pessoa sente. Na verdade é o privilegio humano de demonstrar que é salgado e não doce como dizem. É a realidade. O ser humano saiu do sal da terra e é lá o seu lugar, o mar era mais denso e menos líquido, tinha sinais de lodo e algum plâncton esparso.

É hora de dizer a verdade. Não há ser humano inteiro por assim dizer, todos trazem parte do animal que já foi. Dizem os espíritas que já fomos animais. Claro, mas não com alma e sim com a matéria exposta, porque cada um traz em si a marca da evolução, e não a perde fácil, está embutida no instinto desde o cérebro até o dedão do pé; basta prestar atenção. O corpo é pago (?) para andar ereto, mas quando chega a velhice ele tende a encolher e viver de cócoras ou andar arcado.

Olhem, prestem atenção como gostamos de ver tevê com as pernas sobre o sofá e com elas dobradas. Sinal de cansaço de andar sempre com elas esticadas. Hoje falo da vida que já vivi durante esse período de 70 anos, mas antes de nascer fui embrião, e para o mundo espiritual, o tempo embrionário conta como vida na terra, porque é o tempo de grande aprendizagem para a alma e não para o corpo. É nesse tempo de útero que a criança sente, observa e tira suas conclusões sobre o que realmente escolherá para profissão, porque durante a gestação a alma irá amadurecer presa na alma da mãe, e ela copiará toda a trajetória da família, lerá de fato, como num pergaminho, a vida de seus ancestrais, e também conhecerá sua carga genética para escolher qual é o melhor caminho para aprender. Algumas nada escolhem, esperam o tempo lhes dar uma chance ou dica, mas a maioria vem com a certeza embutida em sua mente que se instala na alma; é ai que mora a memória, e é escrita em língua tão antiga como a dos animais, é o instinto selvagem que jamais nos abandona, é o instinto de preservação da espécie, é marca registrada, e por isso o homem é mais desejoso de sexo, quer sempre marcar seu território porque é na fêmea que está o seu único direito de ter filhos, a chance única de manter a sua carga genética. Veja com calma. Homens desejam filhos, mas é a mulher que os educa de fato, e é aí o grande problema do ser humano macho, passou a admirar a mãe como fêmea, e o pai como o alfa da prole.

Cada filho que nasce faz parte de uma ninhada perdida, pois a mulher retém os óvulos por muito tempo antes de fundi-lo com o espermatozoide. É uma fera atrás da outra. O espermatozoide vai a caça de um local aprazível e o melhor lugar é a toca, a vagina feminina, e ai o melhor espaço para se desenvolver com garantias. Outras espécies não evoluíram dessa forma, mas os primatas foram fieis a esse tipo de evolução, e ao achar o caminho consideraram o melhor para proteger o feto. Cada filho é um rebento a mais para sua perpetuação, mas ter um só de cada vez elimina a chance de ser o único da espécie, então se tem as regras, protegem a mulher de ter um filho atrás do outro, e ao mesmo tempo, espaça para dar mais segurança ao recém-nascido, como se isso fosse regra natural, porque um filho retém muito das energias da mãe e do pai, até que ela complete sete anos.

15/06/2015 - 6h15

A CASA CAI E DARWIN SABIA DISSO

A pura e grande verdade de Deus Pai jamais foi revelada. Por que sofremos tanto e tanto ele nos castiga?! Sempre digo que o sofrimento é o único elo forte entre Deus e sua criatura, já que essa só olha para o criador quando sofre. O homem sofre porque é transgressor e exige de todos a mesma transgressão. Se alguém é honesto, logo alguém lhe diz "deixa de ser bobo, todos fazem assim". Será que há parâmetros de vida feliz depois de sermos tão corruptos com as leis de Deus? Será que o ser humano não percebe que os Dez Mandamentos é um código de Ética para com Deus, e tipo serio de convivência com o irmão? Será que há algo que se possa fazer quando alguém erra?

Lidar com isso não tem sido fácil para mim, exijo respeito a minha pessoa. Sei que sou idosa e aposentada, mas continuo Maria José, tenho uma nome de batismo. Será que não entendem essa diferenciação? Se alguém é jovem tem nome, sobrenome, se é o tal idoso se esquecem de suas origens. Hoje desabafo aqui o que não falo diretamente, mas alguns sabem da minha revolta. Se sou professora, querem logo que ensine o filho na matemática, e passo a ser empregada de pais abusados. Nem me perguntam se cobro, já querem aula "in loco". Se saio na rua dizem, "oi professora", e isso já foi causa de certa animosidade com um senhor que tem padaria. Perguntei, por acaso te chamo de padeiro? Ou coisa parecida? Sempre te chamo pelo nome, e eu tenho o meu; sou professora de formação, mas é lá na escola o meu trabalho, aqui sou sua freguesa, apenas isso. Não me chame de nada, é bem melhor. Hoje falei alto com alguém e lhe disse, não aceito ser chamada de idosa, você é, mas como se chama isso? Falta de responsabilidade com a própria causa, todos serão idosos se não morrerem pelo caminho.

A vida já não é fácil, e o termo convivência pacífica não é meu forte, justamente por isso, trato a todos com respeito, mas quem diz que me tratam? A solidão de uma pessoa é pasto para vizinhos aproveitadores. Se o fogo é meu reclamam, se é deles é cheiroso; se o cão do vizinho late é lindo de morrer, se rasga o saco de lixo que coloco na rua, é porque deixei que o fizesse; mas se é a mim que cabe limpar, não sei, mas se o cachorro é dele, porque deixa solto, justo quando o lixeiro não passou. Se correm atrás de quem caminha, o dono diz "você não pode correr, o cachorro ataca". É, as coisas se inverteram, sabe o que é Ética com Deus?

É se olhar, e cobrar de si o que você cobra do alheio vizinho que te olha e nem te cumprimenta com carinho, e já disse, sou seria, e a cara fechada diz, cai fora, te conheço.

22/06/2015 - 7h09

ROUBO E MALANDRAGENS

A alegria de uma pessoa não está em ter, mas em ser feliz com o que possui e não procurar facilidades em conquistas baratas, essas de corruptos, porque o sol e o sal fazem parte da conquista. Suar ao sol e ter que aliviar o corpo do sal que o corpo produziu com a água limpa e pura de um trabalho realizado, e ter conseguido superar suas próprias dificuldades. O corrupto se mostra claro e limpo, tem as mãos macias e cuidadas. O trabalhador não pensa nessas conquistas de menino prodígio, ser e mostrar o que não é. Cuide de ser feliz com o que tem, com o que conquistou de fato, e não com largos sorrisos do embusteiro, que só rí para tirar do outro o que não é dele.

Limpei o sal com os dedos que escrevo. Quando digo suar não me refiro só ao trabalho braçal e sim a todo trabalho que merece atenção e que leva tempo aprender e a produzir. É conquista criar vida para dar trabalho às novas vidas que surgem, criar condições para que outras cresçam, e não querer acumular bens em excesso, o que faz alguém com tanto? Só cria problemas pessoais, falta de sono e muita dor de cabeça para se resolver com o imposto de renda, quando poderia estar criando oportunidades sem limites aos menos favorecidos e que possuem dons, e se mostram com capacidade de crescer e aproveitam qualquer oportunidade para também produzir. Não é dar esmolas, é usar com dignidade de mestre, saber que Deus o abençoou e ele é graça de Deus ambulante.

O dinheiro bem usado é finalidade primordial de um ser humano, pois cada centavo que recebeu faz parte de seu trabalho suado e na persistência. Quando olho pessoas desprezando trocos de centavos fico admirada, pois o salário é feito do acúmulo de centavos, assim como a hora que é o acumulo de segundos.

Crio confusão se não me dão o troco correto, e o cartão resolveu esse problema, porque não sou injusta comigo, ganhei tudo o que tenho no trabalho consciente, e não é o comerciante malandro de 1,99 que irá tirar essa conquista; e creia, é roubo consciente, e quem aceita é conivente; isso não é marketing, é malandragem. Conheci pessoas que enriqueceram dando chicletes de troco, e já abastecia o caixa com essa porcaria, porque criança aceita tudo. Cada centavo roubado é contado, não precisa ser milhares ou milhões, no mundo espiritual roubo é roubo e não se conta em números e sim em atos.

A Malandragem tem sucesso onde menos se espera e uma das vantagens é ser ignorado por Deus, pois o malandro age só em proveito próprio, então seu prêmio já é esse, enganar a todos, mas não sabe que o enganado é ele.

01/07/2015 - 5h19

O JOGO DA VIDA E MORTE

O local onde se mora é sagrado. Quando me refiro a casa estou falando do corpo físico, já que a pessoa não é o corpo e sim a personalidade que existe dentro dela. Não há como explicar melhor. Não amamos a aparência e sim a personalidade existente em cada personagem que vive em nossa história de vida enquanto vivos na terra. Veja a situação, somos terra e não apenas um personagem, e é a aparência física desse lote de terra que recebemos como herança da mãe Terra que nos faz visíveis ao outro terráqueo. Se ainda não entenderam, vou repeti, cada um é feto ambulante da Terra, o planeta habitado por terráqueos, então somos terra e para ela voltaremos assim que cada missão chega no final, seja ela simples ou de festas complicadas, seja ela individual ou com grandes rompantes de público. Parece infeliz este texto, mas não é; a morte do corpo é prêmio, é a saída de um prisioneiro para a liberdade, é o ato de amor que Deus Pai nos preparou para viver em liberdade, a nova vida, um novo porvir, uma nova esperança, e aí sim, teremos liberdade de sermos nós mesmos. Cada um com sua própria personalidade, mas depois que cada um, e repito, cada um limpar a sujeira adquirida durante sua estadia nessa cela que se chama corpo.

Quando se perde o corpo, todos acham que irão ficar livres de dores; não, mas irão experimentar a dor que causaram, e a limpeza da dor que sofreram, isso se a alma que exibe a própria personalidade aceitar de imediato, se não aceitar, terá que esperar calmamente, até entender que se ela não limpar o próprio lixo não terá vez na liberdade prometida. Cada um que se analise, que vá aprendendo a se respeitar como pessoa, e não apenas como corpo aparente, a entender que o outro que está em sua frente também é um prisioneiro, anjo rebelde que precisa se retratar, obedecer à lei natural dos Dez Mandamentos. Há algo que precisa ser lembrado, santos não existem, todos, mas todos mesmo, terão que se autoanalisar e avaliar os próprios atos, ninguém, será isento dessa demanda divina, ou faz ou fica na espera, e se acham porque alguém fez "milagres" ou fez o que pensa ser a vontade divina, não passará pelo crivo, enganam-se, todos são feitos da mesma matéria de vida enquanto com o corpo, mas ao perdê-lo a vida interior precisa ser reciclada, limpa e só depois sim receberá o prêmio ou a condenação, e é a própria pessoa que ditará a sentença.

Lembram-se da história de Natã e David? É bem assim, cada um lavra a sua sentença antes de cumpri-la à risca; o que confere a justiça sim compete a Deus é aí a diferença de tratamento, e a justificação virá por conta do anjo guerreiro que nos acompanhou durante a batalha pela sobrevivência na terra. Hoje é dia de análise pessoal. Cada um, creia ou não, mas é melhor se prevenir, o vendaval está sendo anunciado; fechem as portas e janelas, orem em seu interior, e aí está a sua luz, a vela de que se fala na parábola das virgens; abasteça a sua energia, porque tudo acontece sem esperar; cada um suba na sua própria montanha e olhe o que precisa mudar.

É de cima que olhamos tudo e não enxergamos a construção monstruosa que elaboramos durante a existência; por isso comece desde já, o bloco é duro, é rijo, mas é preciso amolecer o próprio sentimento e se ver como é, igual a todos. Nada de exclusividade, nada de sentimentos egoístas e de medos, parta para a mudança. Cada um sabe o que fez, confirme a si mesmo que errou, que precisa corrigir falhas antigas. Não é correr ao confessionário, ali tem outro anjo rebelde precisando de mudanças, é preciso se avaliar e mudar, e isso não é fácil; seja importante a si mesmo e não aos outros. Já Tereza de Ávila dizia que muitos personagens, homens importantes eram louvados e velados com pompa e já havia milhões de demônios a sua espera, e não se referia só a políticos, mas aos tais ensinadores de falsas doutrinas, os padres, os leigos pregadores e os pastores, e nisso se incluem os papas, os cardeais e toda e qualquer pessoa que se diz importante. Todos somos importantes aos olhos divinos, como cartas de baralhos; se falta uma não há jogo.

18/07/2015 - 3h15

AS ILHAS

A Terra e seus hábitos secretos

A Terra gira em torno do Sol e de si mesma, é uma bailarina possessa, não para nem para respirar ou criar um elo com o universo no sentido de observar por onde passa.

Hoje teremos duas horas de aula de energia compulsiva; ou falamos nisso, ou não entenderemos o que é ser forte, capaz, magro, alto ou surdo para determinados sons.

Cada um, cada ser que vive, que anda na superfície, que está no fundo do mar, nas profundezas do solo vive e sonha de acordo com os campos magnéticos gerados por esse grande volume, o maior catalizador e produtor de energia. Não há nada errado com esse roldame (?) do vento, ou com as esferas celestes que nos cercam; quem produz esse lixo todo que a Terra produz, como furacões e tsunamis é a própria ação dos animais, ou, cada um tem seu próprio desejo gerado nesse movimento louco do planeta; e a cada 100 anos ela processa o lixo como no computador e começa a reciclar, passa a escolher o que não é bom e destrói. O fato é que o ser humano racional se acha dono de um campo magnético que não é dele, é exclusivo do ar, do vento e da multidão de pássaros que o usam para se locomover. Não é fácil entender, mas dá para se ter uma ideia, por mais miserável que seja.

O céu azul, o infinito pode ser usado pelo ser humano, desde que haja uma consciência lógica e uma nova era de tecnologia controlada para não saturar o espaço com o lixo de nosso próprio campo magnético.

Veja o cão e o lobo como armas de vida simples e não de bichinhos de estimação; são animais tão sensíveis ao som e ao que você cria a sua volta, que eles já nem se lembram de que um dia foram usados como exaustor de vidas passadas a limpo.

Cada animal é um possível depósito de genes que foram extintos no ser humano, eles ainda são depositários de genes que já tivemos em nossa carga, ou genoma. Então a cada mudança de energia do Planeta provocada pela tecnologia desenfreada, é um gene a menos nessa evolução, porque um cão passa a selecionar o que precisa para se proteger de possíveis ataques de humanos sem consciência e os transformam em bichos de saleta de espera.

Não critico quem os tenha, mas é preciso rever o que se dá e o que se faz com um animal que tem como ancestral um lobo ou um pequeno coiote. Pois bem, uivar para a Lua, levantar o focinho e ficar horas sonorizando junto com o barulho que a Lua produz com o seu roçar de campo magnético com o da Terra, (que) é o motivo desse barulho inaudível para o ser humano, que perdeu a capacidade de escutar e entender, e, é em noites de Lua cheia, que o ser humano usava para caçar e procurar a fêmea na escuridão. O olfato e o tato não são suficientes, e os olhos perderam a acuidade visual para tal fim; apenas alguns mamíferos a conservou de fato, mas o lobo busca no som da Lua a fórmula mágica de atrair sua fêmea, e é na audição da fêmea que ele tem fé. Viu por que a mulher é pega pelo ouvido?

Pois bem, ao luar é hora de festa de acasalamento, e o barulho ouvido e sentido pelo lobo é sinal de procurar a fêmea certa para tal fim, e a que estiver em disponibilidade escuta e vai ao encontro do som, e uiva para se mostrar. Gatos também usam esse dispositivo, mas tem outra motivação que não só o acasalamento, é mostrar quem é melhor no grito noturno, usam os olhos para se acharem, e o olfato é mais apurado do que o do cão e do lobo.

A Lua a céu aberto ou sem ele é páreo para o campo magnético da Terra, e as duas bailarinas se cruzam, com a diferença, a Lua não tem o movimento de rotação, e trava o campo magnético da Terra por alguns segundos, o suficiente para detonar certos lixos que a Terra quer destruir; são os trancos necessários, e aí o abalo sísmico acontece, assim como consequência os tsunamis, e por ai vai. As placas tectônicas tem seu próprio modo de agir, porque o magma de ferro já é força suficiente para desestabilizar o que achamos tão estável.

O animal, seja ele da terra, do ar ou do mar sentem as mudanças magnéticas e (daí vai) a liderança do bando conclama todos a fugir, pois o que marca o líder de um grupo não é só a força, mas a carga genética de audição e de olfato.

Dá para entender por ora? Pois é, não é fácil escrever sobre isso, o ser humano está tão voltado para o computador e a tevê que esqueceu suas origens animais, e ainda quer que seu animal de estimação bloqueie o que ele tem de mais precioso, o instinto de conservação da espécie.

02/09/2015 - 4h35

NASCI AMANDO! AMANDO O SEIO MATERNO - 1967

Continuei amando quando criança, meus brinquedos, amigos imaginários.
Na juventude também segui amando, amando tudo aquilo que me rodeava, sonhos, anseios...
Hoje sou um moço, um homem já, e continuo amando pois Deus deu-me você para eu amar agora.
Meu bem, o amor que sentia no seio materno, hoje e mais suave e confunde-se com saudades e uma imensa gratidão.
O amor de criança já passou, não quero meus brinquedos e nem tenho aqueles amigos imaginários, só restou uma terna saudade.
O amor de juventude, foi apenas entusiasmo pois os sonhos se transformaram.
Agora é o presente e existe você. Você querida é o amor presente, é o amor maior.
E quando os anos passarem, e eu for lembrar o dia de hoje, não será uma gratidão e nem uma terna saudade e muito menos meus sonhos terão se transformado.
Será ainda o amor presente, pois você querida...
MORREREI AMANDO!!

NOSSO ABRAÇO - 1967

Todo o carinho e todo o amor do mundo
Às vezes se resumem em um só instante
Transbordando num sentimento profundo
Embora oculto se faça constante

Vacilante,temerosa vem chegando
Colando teu rosto ao meu
Meus braços aos poucos te apertando
Juntando meu corpo ao teu

Quanto sentimento, quanta felicidade
Eu te beijo e tu me beijas, sem maldade
Extasiados num forte laço

Que lindo esse nosso momento
Colocamos nele o mais puro sentimento
É doce, terno, amoroso... O NOSSO ABRAÇO!

MEUS VERSOS - 1966

Meus versos ! Estes são os meus versos
São a lembrança de algum instante
Frutos de sentimentos dispersos
E saudades do já vai distante

Talvez arrancados daqueles momentos
Em que vem ao peito alguma recordação
Muitas vezes abstratos sofrimentos
Vontade de escrever...mera inspiração

Sempre desejei fazer um belo poema
Com palavras que só o poeta usa
Com sentimentos e não com um tema
Vivo uma ânsia, falta-me uma musa

Quendera correr o mundo
Cantar oceanos, florestas, desertos
Viver um amor e bem profundo
Ilusões? E estes são os meus versos!

INSTANTES DE SAUDADES - 1968

Que saudade...quanta saudade
Daquele rostinho tão meigo e doce
Embora pouca fora a felicidade
Não a esqueci um momento que fosse

As mãos cheias de carícias
Lábios que beijei com tanto zelo
Aquele sorriso..quantas delícias
Lindo corpo, como esquece-lo?

É tão trist ce ver a aurora
E morrer um sonho que tão somente
Falou dela e do pouco de outrora
Que não morreu, é vivo e ardente

Já não suporto tanta saudade
Sonhos..lágrimas, tudo em vão
Jamais irei revê-la, é a verdade
Calai Senhor! Meu pobre coração

ENTUSIASMO JUVENIL - 1968

Foi só um instante e tudo passou
Nem há saudade no coração
Foi como um sonho e pouco durou
Um relâmpago na escuridão

Algumas gotas em pleno deserto
Não fizeram da semente uma flor
De todo o dia... Segundo incerto
Sem carinho, confiança e amor

Dois caminhos que nem se cruzaram
Foi um diálogo de freira e monge
Pouco se viram e pouco falaram
Que separados se vão ao longe

Relembro um instante da vida
Que como a estrelinha no céu
Entre tantas ficou esquecida
Brilhando, piscando no imenso véu.

SONETO DO MEU AMOR - 1967

Meu amor querida, é assim como um segredo
Silencioso no coração ali quietinho
Como se deste mundo tivesse medo
Esconde-se no peito e faz da alma o seu ninho

E quando estamos sós, juntinhos
É que ele parece se irriquietar
Vem nas mãos em doces carinhos
Vem te ver no meu olhar

Se te abraço , ele treme em mim de desejo
E vem nos lábios explode num beijo
Nos meus sentidos vive disperso
E quando como agora estas distante
Tristonho te procura a todo instante
E de saudades esse amor te faz um verso.

MEU BEM 1968

Nunca pensei que a saudade fosse tão forte
Mesmo tendo a distância como grande amiga
Sinto saudades...bendigo minha sorte
Faz do cansaço do pranto, uma doce fadiga

Sente saudade quem vive recordando, e talvez
Ainda exista uma gota de esperança
Que não morra o amor..amo não vês?
Amo! Sinto saudades!seras eterna em minha lembrança

Meus sonhos voam longe e no teu leito
Susssurrando-te baixinho.. Te amo querida!
Por ti pulsa, vibra e chora em meu peito
Um coração que teu será por toda a vida.

SUBMETA-SE AO PARADOXO

É como a página de um livro, você primeiro inicia uma ideia, as palavras são simplesmente palavras quando não se veem e nem se vai carregado de valores a quem é dirigida.

Podemos observar uma cena rotineira no ambiente de trabalho, aquela gentileza sutil com seu cliente tão falsa quanto o seu " Te Amo" no segundo encontro. Mas do que se trata isso? Apenas palavras? Ou um jogo de cintura onde quem é o melhor ganha seu óscar?

Pois então, que venham as respostas!

Acreditar nas pessoas nem sempre é tão ruim, às vezes é uma prova biológica de que os homens mentem para as mulheres e vice e versa. A questão é se vocês, meus caros leitores, não acreditassem em nada, não estariam lendo essas palavras agora. Vocês estão em busca de algo que nem mesmo sabem ou entendem o que é, mas procuram. Contem- me quando acharem, estarei curiosa para ver a versão de vocês, estarei na minha varanda no meu lado sul do mapa, tomando um chocolate quente, à beira do mar em época de frio que congela até a alma. Porém os risos irão me aquecer de saber que só por lerem isso vocês conseguiram achar o que procuravam.

Assim como vocês, as crises vêm sempre de fora para dentro; é notório como se propaga um empecilho que logo teremos que se livrar antes que nos consuma e façamos algo que não desejamos. A entorpecente dor de cabeça se trata de querermos ser quem não somos, porém, a vida se expande em cada um de nós e com o tempo isso se torna realidade e por fim, você acaba vivendo uma vida de mentirinha, não é mesmo? Você se declara um bêbado nato que não sabe resolver um problema? Poxa vida, admita que não sabe resolver, seu problema está rindo de você e as pessoas apavoradas por deixarem você resolver. Não é um desabafo é só...a verdade.

A realidade é diferente daquele objetivo que você sempre sonhou, a realidade de virar algo que não queremos pode ser voltada a algo ruim ou melhor do que podemos imaginar, mas nunca aquilo que queremos de verdade. Quero que pense em uma única pessoa que teve por realidade, um sonho que se tornou um objetivo... Difícil, não? Agora me faça uma lista com dez pessoas que obtiveram o que queriam algumas vezes e mesmo assim não estão satisfeitas, ou sonham com mais, porém, não alcançam. Sim, fácil!

A regra não se propõe para todos, apenas para os que querem realmente, nem que forem aos seus trinta ou quarenta anos; para alcançar o sucesso não é necessário ter menos idade, mas sim, mais dedicação, postura, disciplina, Inter pessoalidade.

Treinar sua empatia sempre é um bom projeto, a primeira impressão é claramente a que fica, aquela em que as pessoas irão se lembrar naquele dia qualquer em uma calçada de um lugar qualquer. Aquele rosto sério, alegre, focado ou distraído que você teve naquele mesmo dia. As roupas que você usava vulgarmente, desleixadamente, ou elegantemente; porque quem faz os lugares são as pessoas e elas transformam a personalidade do local e criam expectativas de acontecer novamente aquele encontro favorito com aquela pessoa favorita, que talvez você a precisasse contratar, ou até mesmo precisasse pegar o número do telefone, ou talvez... só você poderia saber.

ROTARY CLUB

Um clube de muitos associados trazendo autoconhecimento para a sociedade; tantos eventos elegantes para um bem maior do que possamos imaginar. Um cuidado para todos, entre todos, um presente e solução que visa proporcionar a melhoria das pessoas. Eventos de caridade, reconhecimento social abrangendo todas as áreas profissionais da vida nas mais belas às mais árduas em níveis de trabalho duro realizado cursando um único objetivo em comum: trazer a oportunidade de upgrade com o verdadeiro toque no coração de cada representante de seus membros nesta sede.

A vida flutua entre os dedos desta entidade beneficente e tão bem reconhecida que, todavia é honrosamente aplaudida por seus proveitos honestos de ajudar ao próximo, a maneira como surpreende uma alma em chamas deixando leve como uma pluma ao necessitado destas ações. Segue em todo o mundo, o som de todos os países sem distinção em gritos de ''por favor'' avistando os passos delicados como um todo. Mas para isso, é importante que haja reuniões, membros, equipe, parceria, emoção, energia e disposição para adquirir as feições deste nome. Sendo desta forma, diversos clubes com diversificadas especialidades que, no entanto, promovem áreas grandes modificando radicalmente o pensar das pessoas ao redor que observam estas ações.

Uma atividade beneficente não é tão somente uma atividade comum, é uma vitória de vida que, em prestes ano de 2019 o Rotary Club completa mais de um milhão de associados em suas causas ao redor do mundo. Seus aprimoramentos com apoio à educação não beneficiam apenas crianças, mas também adultos que nunca foram alfabetizados ou tiveram esta oportunidade; a ampliação da assistência médica para combate de doenças que se alastram pelo mundo todo; um sustentáculo em promoção da paz.

Os mais talentosos estão nesta causa, independente do talento, toda nova ideia é talento! Creio no quando, quando há momentos de mudança, de crise, de estrapolações, o talento é o que muda o seu entorno. O foco é imenso, a inteligência sempre equilibrada para dar espaço à outras inteligências; o momento é crucial para soltar ligeira capacidade de compreensão sobre o assunto proposto. Quando, há algo que se possa melhorar em proveito do todo, a junção de todas as mentes e capacidades, aí sim, são feitas por valorização neste grupo. Quem é membro sabe o quão reconhecidas se tornam suas ideias, o quão sua voz é ouvida, o auto "apostamento" em si é muito maior que qualquer pressão que exista em uma entidade como esta. Porém, não estão sozinhos, a criação interna cria o molde. O escalar da montanha vem do externo aos olhares. E a finalização, é o resultado. Sucesso!! Contudo, toda essa energia concentrada em diversas ações, é com imensa gratidão que se ilustra não só as mãos, os corações nobres, ou as ações; mas também a criatividade assumida socialmente para representar um momento de dificuldade do próximo. A origem do Rotary Club foi em 23 de fevereiro de 1905 cuja primeira reunião aconteceu em Chicago, Illinois em um edifício chamado Unity para disporem suas ideias sobre a mesa e fazerem uma inovação com suas ideias, um apoio de quatro homens, cada um com uma função do negócio: Paul Percy Harris foi o advogado idealizador do Rotary querendo abrir um grupo para homens de negócios; Gustavus Loher , engenheiro de minas, que disponibilizou a sala do edifício para acontecer a primeira reunião; Hiran Shorey, alfaiate; e Silvester Schiele, comerciante de carvão. Cada homem com sua distinção de serviço, porém todos prontos para alcançar o mesmo objetivo, desenvolver oportunidades de servir, reconhecer o mérito de cada área profissional, ética, desenvolver conduta exemplar tanto pública quanto particular, e da mesma forma, aproximar os membros da equipe para que sejam todos apenas um.

Portanto, posso lhes assegurar que as causas mais justas e lindas vistas bem de perto, e para aqueles que nunca ouviram falar de mim sejam sempre lembradas aos olhos dos menos aos mais afortunados da comunidade, que todos consigam ver e fazer o bem como nós fazemos e ainda sentirem-se gratos e maravilhados das ações praticadas e ideias que, assim como os fundadores, sintam-se lisonjeados de estarem postas às novas mesas que o Rotary proporcionou aos novos idealizadores. Prazer, eu sou o Rotary Club em você, em nós, e em todos que necessitam de nossa ajuda globalmente, tanto nacional como internacional, somos os mesmos, juntos pela mesma causa ganha que aparece em nossas mãos.

Contudo, toda essa energia concentrada em diversas ações, é com imensa gratidão que se ilustra não só as mãos, os corações nobres, ou as ações; mas também a criatividade assumida socialmente para representar um momento de dificuldade do próximo.

Vitoria da Silva Soares

QUANDO ME TORNEI MILIONÁRIA

A brisa do vento circulava as ondas dos seus cabelos longos e morenos, dançava nas curvas do corpo com marquinhas de sol em modelo de biquíni, areia branca com água mais cristalina que seus olhos azuis, aquele cheiro de mar penetrava adentro da barraca onde se encontrava sua bolsa, roupas, e acessórios de praia que a morena, sem nome, carregava consigo. Ela dançava naquele ritmo da música eletrônica com reggae que geralmente praianos colocam para se distrair em beira mar, como se não houvesse nada que o impedissem de serem felizes, porque só o que importava era o ritmo da música e o gosto do sal do mar depois de um mergulho intenso entre as ondas.

Bebia um Mai-Tai, típico da Polinésia, na euforia da praia em Grande Florianópolis com o final de tarde mais lindo que poderiam vivenciar. Aquele tipo de mulher só poderia ter muito dinheiro para adquirir tanto poder em todas as maneiras, ninguém conseguia se aproximar da beleza que ela tinha tão natural. Cabelo virgem; queimado de dias de diversão na praia e não artificialmente; ânimo de criança; leve com a vida; gente que sabe ser gente de verdade; arrisca tudo pela felicidade. Muito menos chegar perto de ter seu carisma.

Até que... Em uma lancha, o outro lado do mar lhe chamou a atenção.

De repente tudo era mais bonito do outro lado do mar, a luz do sol até brilhava mais... quem diria! Aqueles óculos escuros que não conseguiram enganar os olhares recíprocos que aconteciam apenas em filme de romance. O outro lado do mar conseguiu se aproximar, conseguiu sua atenção, conseguiu seu carisma, não precisou de muito.

Mas era ela, Miranda, ela se chamava Miranda por um bom e feliz tempo da vida dela.

Até que... Um sorriso poderia ter causado todo o efeito contrário ou poderia dar certo, a resposta foi de imediato à tentação do mar, pois ela sabia nadar, era a sereia que o mar precisava, era a concha mais linda da praia e naquele mar, ficaria perfeito. O ritmo do grave musical obedeceu às lembranças de Miranda a sempre continuar com àquele momento em seu coração, ainda restara poucos dias.

A lua foi tomando conta do céu rapidamente, reluziu na flor branca entrelaçada nos cabelos castanhos e ondulados de Miranda que encantou aos olhos de todos da praia enquanto ela continuava dançando lentamente já sem bebida na mão apenas se entregando para o momento de puro êxtase que ela sentia. Uma explosão de sentimentos fora do comum aconteceu em um beijo leve que ganhou de presente na dança, mas que estranho... ela parou de dançar freneticamente e foi em ritmo com as ondas do mar calmo.

Sua flor branca se transformou em uma linda flor vermelha como se uma gota enorme de tinta pingasse na estrutura dócil daquela flor, o beijo era o caos como o bater de asas de uma borboleta em um local do mundo e do outro lado, passasse por uma tempestade. Assim diz o efeito borboleta na vida das inocentes pessoas que se entregam demais para seus próprios sentimentos.

Do alto de uma montanha, uma casa com a janela do quarto aberta e olhos para fora no alto para o céu. Era ela, uma outra parte de Miranda que sonhava com ambições de tornar-se aquela mulher que sempre quis ser, aquela Miranda que possibilitava a oportunidade de viver como queria, a Miranda que não sonhava em ser outra Miranda. É claro que a Miranda que olhava pela janela, era apaixonada pelo mar, dançava como uma artista pelo seu quarto ao som do bar local, os cabelos longos balançavam na janela com a fantasia que criara de si mesma para escapar da realidade.

Seu sorriso era tão brilhante quanto, mas tinha que ir para a escola, ainda não conquistara aquilo tudo que queria ainda, mas o esforço era o mesmo que a Nova Miranda, a Antiga Miranda que olhava pela janela era apenas uma distração para acreditar que tudo era feito com muito esforço na vida. A escola era o alicerce,o peso dos livros nas costas, o pior pesadelo para quem andava no sol da tarde ao voltar para casa, mas era seu futuro que segurava em suas mãos.

Existe outra realidade fora esta em que nos esforçamos? Momentos que não precisavam ser pagos? A resposta é clara, a felicidade não está no dinheiro, mas em oportunidades vindas com sucesso e momentos que o dinheiro não tem. Já parou para pensar, que talvez da poeira poderia virar diamante? Pense nisso. Os livros não seriam livros se não expusessem conteúdos, fracos ou não, são livros e contêm informações. Então seja um livro interessante que uma pessoa gostaria de te comprar, mas não qualquer pessoa. Para A Pessoa!

Desconsidere todo o fardo que carregará a partir de agora e lute pelo o que almeja, é possível que todos à sua volta não te puxarão para baixo, mas te darão mais motivação para sair desse mundinho colateral que te impuseram, certo? Se continuar com os pensamentos que empenham fracasso, será um fracassado. Se continuar acordando tarde todas as manhãs, não aproveitará o dia. Se continuar bebendo todos os dias até cair, uma hora vai bater a cabeça para nunca mais acordar.

A questão é: livre-se de maus hábitos e será a primeira fase de uma nova pessoa.

E esse é mais um paradoxo da nossa história de vida, começando com um assunto e terminando em outro achando que terá um final bem diferente deste, mas agora que já está preparado, viu que quem faz o final é você...

O ANIVERSARIANTE DO DIA

Foi sempre assim. O mesmo ponto de interrogação me espreita a cada natal. Desde menino me pergunto o que as pessoas querem dizer com o "feliz natal" que dizem umas para as outras.

De há muito entrado nos sessenta, continuo com a mesma suspeita que tinha quando ainda usava calças curtas. Acho que a maioria das pessoas ao recitar o "feliz natal" está desejando ao outro que tenha uma festa agradável, uma mesa farta e uma digestão confortável.

Poucos, muito poucos, pararão para refletir sobre o Aniversariante do dia. Sobre seus ensinamentos, seu sacrifício e seus exemplos. Não sou religioso. Nada tenho contra os frequentadores dos mais diversos credos. Ao contrário. Acho que a religião, quando não resvala para o fanatismo, tem o sublime condão de elevar o ser humano e de fazê-lo melhor compreender a maravilha do universo que o cerca.

Embora não seja religioso, nem frequentador de qualquer igreja, procuro esforçar-me, dentro das minhas inescondíveis limitações, para aplicar os ensinamentos do Cristo. Em singela oração, agradeço diariamente ao Criador a valiosa dádiva com que me contemplou, presenteando-me com uma família unida, saudável, amorosa e sensível ao sofrimento do próximo.

Inspirado nas lições do Mestre, sou admirador convicto dos que são efetivamente caridosos, dos que praticam, no cotidiano, o "Amai-vos uns aos outros". Não me refiro, portanto, aos "caridosos" que somente doam aquilo que iriam jogar fora, servindo-se do seu semelhante para se livrar daquilo que não mais lhes servem. Falo daqueles que partilham o que tem, às vezes, quase nada.

Conheço pessoas que raras vezes estiveram em qualquer templo e que, no entanto, homenageiam o Cristo a cada dia, praticando suas lições e esbanjando exemplos de amor e tolerância. Despojados de vaidades, dão de si com tamanha naturalidade que jamais se acham dignos de qualquer homenagem.

Há outras para quem me prostro de joelhos. São os que distribuem sua sabedoria, sem arrogância, com a humildade própria dos verdadeiros sábios. Refiro-me, em especial, aos que alfabetizam os esquecidos da sorte (e dos governos), tirando da penumbra os seus semelhantes que, já adultos, sequer escrevem o seu próprio nome e que reconhecem os ônibus que precisam utilizar, pelos seus números, em tamanho grande, grafados naqueles veículos.

Também ergo as mãos para os céus para agradecer àqueles que, no anonimato, e com desvelo de mãe, se debruçam sobre leitos de hospitais, derramando amor para mitigar a dor de tantos desvalidos que padecem nas enfermarias, corredores e macas desse pobre País onde a saúde pública só é lembrada nas promessas de campanhas eleitorais. São autênticos anjos do céu. Costumam atender pelo nome de "voluntários".

Esses são alguns exemplos dos verdadeiros seguidores de Cristo. Homenageiam-No todos os dias, não apenas na data do seu nascimento. Não com palavras bonitas, mas com maravilhosas ações de amor ao próximo. Eles sabem o exato sentido do Natal e a importância desta data nos destinos da humanidade.

Mas continuo com a triste impressão de que a imensa maioria, ao comemorar o Natal, festeja apenas uma data, esquecendo-se da importância do Aniversariante do dia...

José Antonio Carmanhani
Advogado, associado do Rotary Club de Marília-Tradição.

MEMÓRIAS ESQUECIDAS

- Cadê seu pai? – perguntou minha mãe assim que entrei na sala

- Mãe, o pai faleceu há quase 19 anos.

- Você está brincando!

- Bem que eu queria estar. – respondi olhando seu rosto que não acreditava na minha resposta.

Ela ficou por um tempo olhando fixamente para uma foto que estava na estante da sala: nela estava meus pais, eu e meus três irmãos. Tínhamos tirado ainda quando éramos pequenos e vivíamos em uma casa no interior.

- Eu quero ir para o quarto! – finalmente ela falou parecendo despertar para a realidade.

Com as pernas trêmulas e moles, e com dificuldades de andar fomos para o quarto e ela deitando: adormeceu. No momento achei que estava tudo normal, e que certamente aquela pergunta sobre meu pai iria logo ser esquecida; o que não aconteceu.

Minha mãe não queria sair do quarto e só levantava da cama para tomar banho ou ir no banheiro. Mal tocava na comida e não queria conversar com ninguém. Quando eu conseguia conversar com ela, algumas palavras eram ditas e muitas delas confusas. Seu olhar ainda estava pensativo e triste. O que será que estava acontecendo? Será que a doença tinha se agravado mais? Tentei buscar ajuda e respostas, mas logo entendi que minha mãe estava passando pelo estado de luto. Suas memórias confusas a tinha levado de volta há 19 anos atrás, e fez voltar à tona todos os sentimentos da perda de seu grande amor.

Às vezes paro e fico olhando seu jeito de andar e sua fisionomia. As rugas na pele mostram o tempo que não volta mais. E tento entender como cruel parece o tempo. Lembro daquela mulher ativa, que levava os netos para parque de diversões ou até mesmo, corria na rua atrás do aniversariante para poder quebrar um ovo na sua cabeça. Lembro ainda daquela mulher que não faltava em nenhuma festinha junina da escola, ou que passava horas e horas sentada em frente a máquina de costuma para terminar o vestido que eu iria usar em uma festa.

Olho nos seus olhos, e aquele brilho vivo que tinham e que apesar de alguns problemas de saúde sempre se mostraram ativos, agora dá lugar para um olhar parado e solitário. O que será que ela está pensando? Me indago. A resposta não tenho e talvez nunca terei, pois aquele olhar estádando tchau para suas lembranças, seus sonhos, segredos e até mesmo sua personalidade. Aquele olhar está se perdendo no tempo que horas lembrará do que aconteceu, ou horas será apenas vivido e nunca mais lembrado. Mas uma coisa nunca acabará: o verdadeiro amor entre mãe e filha, e me acalento em seus abraços, tentando proteger aquela mãe, que tantas vezes fez isso por mim.

Enquanto você sonha,
você está
fazendo o
rascunho do
seu futuro.

Charles Chaplin

Mensagem em homenagem a todos: Escritores, Poetas, Desenhistas, Redatores, Editores, que compõem esta obra.

Dedicamos a todos os Sócios dos Clubes do Rotary, e aos Jovens do Rotaract do Distrito 4510.

Rotary
Distrito 4510

Antes de morrer, Paul Harris fundador do Rotary Pediu que fossem feitas doações em sua memória Para financiar iniciativas educacionais...

OBRAS PUBLICADAS

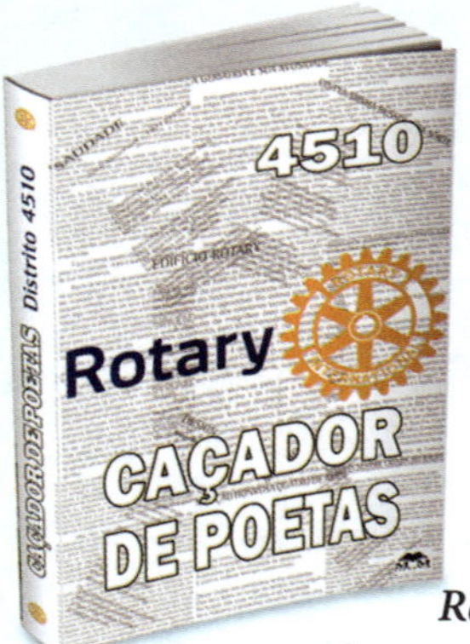

Realização:
Rotary Clube Marília Leste
Ano 2013/14

Realização:
Rotary Clube de Marília Tradição
Ano 2018/19

Realização:
Rotary Clube de Marília e
Rotary de Marília Tradição
Ano 2019/20

Realização:
Rotary Clube de Marília e
Rotary de Marília Tradição
Ano 2020/21

Projeto e Coordenação geral: Mário Milani - Imagem Pública do Rotary

LETRAS Jurídicas

Letrasdo Pensamento

QUEM SOMOS

Editora LETRAS JURÍDICAS e LETRAS DO PENSAMENTO, com 20 anos no mercado *Editorial e Livreiro* do país, é especializada em publicações jurídicas e em literatura de interesse geral, destinadas aos acadêmicos, aos profissionais da área do Direito e ao público em geral. Nossas publicações são atualizadas e abordam temas atuais, polêmicos e do cotidiano, sobre as mais diversas áreas do conhecimento.

Editora LETRAS JURÍDICAS e LETRAS DO PENSAMENTO recebe e analisa, mediante supervisão de seu Conselho Editorial: ***artigos, dissertações, monografias e teses jurídicas*** de profissionais dos ***Cursos de Graduação, de Pós-Graduação, de Mestrado e de Doutorado, na área do Direito e na área técnica universitária, além de obras na área de literatura de interesse geral.***

Na qualidade de ***Editora Jurídica e de Interesse Geral***, mantemos uma relação em nível nacional com os principais ***Distribuidores e Livreiros do país***, para divulgarmos e para distribuirmos as nossas publicações em todo o território nacional. Temos ainda relacionamento direto com as principais ***Instituições de Ensino, Bibliotecas, Órgãos Públicos, Cursos Especializados de Direito*** e todo o segmento do mercado.

Na qualidade de ***editora prestadora de serviços***, oferecemos os seguintes serviços editoriais:

- Análise e avaliação de originais para publicação;
- Assessoria Técnica Editorial;
- Banner, criação de arte e impressão;
- Cadastro do ISBN – Fundação Biblioteca Nacional;
- Capas: Criação e montagem de Arte de capa;
- CD-ROM, Áudio Books;
- Comunicação Visual;
- Consultoria comercial e editorial;
- Criação de capas e de peças publicitárias para divulgação;
- Digitação e Diagramação de textos;

- Direitos Autorais: Consultoria e Contratos;
- Divulgação nacional da publicação;
- Elaboração de sumários, de índices e de índice remissivo;
- Ficha catalográfica - Câmara Brasileira do Livro;
- Fotografia: Escaneamento de material fotográfico;
- Gráficas – Pré-Impressão, Projetos e Orçamentos;
- Ilustração: projeto e arte final;
- Livros Digitais, formatos E-Book e Epub;
- Multimídia;
- Orçamento do projeto gráfico;
- Organização de eventos, palestras e workshops;
- Papel: compra, venda e orientação do papel;
- Pesquisa Editorial;
- Programação Visual;
- Promoção e Propaganda - Peças Publicitárias - Cartazes, Convites de Lançamento, Folhetos e Marcadores de Página de livro e peças em geral de divulgação e de publicidade;
- Prospecção Editorial;
- Redação, Revisão, Edição e Preparação de Texto;
- Vendas nacionais da publicação.

Confira!!!

Nesse período a ***Editora*** exerceu todas as atividades ligadas ao setor Editorial/Livreiro do país. É o marco inicial da profissionalização e de sua missão, visando exclusivamente ao cliente como fim maior de seus objetivos e resultados.

O Editor